MOLIÈRE

Jean-Baptiste Poquelin, dit Molière, est né en 1622 à Paris. Fils d'un père tapissier, il perd sa mère à l'âge de dix ans. Après avoir suivi des études dans un collège jésuite, il se destine un temps à une carrière d'avocat, mais sa rencontre avec Tiberio Fiorelli, dit Scaramouche, et avec Madeleine Béjart, le détourne de ses projets. Ils décident de monter une troupe de comédiens, « L'Illustre-Théâtre », qui s'inspire de la tradition italienne de la *commedia dell'arte*. Ensemble, ils connaissent des succès divers en province et dans les salles parisiennes.

Molière a apporté au théâtre un regard incisif sur le monde, qu'il doit à son observation minutieuse des caractères et de leurs travers. À la fois auteur et acteur, on lui doit nombre de pièces comiques, notamment : *Les Précieuses ridicules* (1659), *Sganarelle ou le Cocu imaginaire* (1660), *L'École des femmes* (1662), *Dom Juan* (1665) ou encore *Les Fourberies de Scapin* (1671).

Il meurt sur scène lors d'une dernière représentation du *Malade imaginaire* en 1673.

LES FOURBERIES DE SCAPIN

(Re)découvrez 20 titres incontournables à 1,50 euro :

BALZAC,
Le Colonel Chabert - n°12358

BAUDELAIRE,
Les Fleurs du mal - n°12351

BEAUMARCHAIS,
Le Mariage de Figaro - n°12360

DIDEROT,
Supplément au Voyage de
Bougainville - n°12369

FLAUBERT,
Trois Contes - n°12362

HUGO,
Le Dernier Jour d'un
condamné - n°12363

LA BRUYÈRE,
De la cour, Des grands suivis
de Du souverain ou de la
république - n°12366

MARIVAUX,
L'Île des Esclaves suivie de
La Colonie - n°12364

MAUPASSANT,
Boule de suif suivie de
Mademoiselle Fifi - n°12350,
Le Horla et autres nouvelles
fantastiques - n°12349,
Pierre et Jean - n°12365

MÉRIMÉE,
Carmen - n°12359,
La Vénus d'Ille suivie de
Djoumâne et de Les Sorcières
espagnoles - n°12367

MOLIÈRE,
Dom Juan - n°12368, L'Avare -
n°12352, Les Fourberies de
Scapin - n°12354

VOLTAIRE,
Candide - n°12355, L'Ingénu -
n°12356, Zadig suivi de
Micromégas - n°12357

ZOLA,
Thérèse Raquin - n°12353

… Autant de titres qui ont marqué la vie littéraire française, autant d'auteurs qui continuent à
toucher des générations de lecteurs par leur génie.
Un tête-à-tête privilégié avec des textes essentiels
toujours d'actualité.

MOLIÈRE

LES FOURBERIES
DE SCAPIN

Comédie

La pièce fut jouée pour la première fois le 24 mai 1671.
Nous reprenons le texte de l'édition originale.

© 2004, Pocket, département d'Univers Poche.

ISBN : 2-266-14710-2

PERSONNAGES

ARGANTE, *père d'Octave et de Zerbinette.*
GÉRONTE, *père de Léandre et de Hyacinte.*
OCTAVE, *fils d'Argante, et amant de Hyacinte.*
LÉANDRE, *fils de Géronte, et amant de Zerbinette.*
ZERBINETTE, *crue Égyptienne* [1] *et reconnue fille d'Argante et amante de Léandre.*
HYACINTE, *fille de Géronte, et amante d'Octave.*
SCAPIN, *valet de Léandre, et fourbe.*
SILVESTRE, *valet d'Octave.*
NÉRINE, *nourrice de Hyacinte.*
CARLE, *fourbe.*
DEUX PORTEURS.

La scène est à Naples.

---

1. À l'époque, les bohémiens, diseurs de bonne aventure, sont appelés Égyptiens.

ACTE I

SCÈNE 1
Octave, Silvestre.

OCTAVE

Ah ! fâcheuses nouvelles pour un cœur amoureux ! Dures extrémités où je me vois réduit ! Tu viens, Silvestre, d'apprendre au port que mon père revient ?

SILVESTRE

Oui.

OCTAVE

Qu'il arrive ce matin même ?

SILVESTRE

Ce matin même.

OCTAVE

Et qu'il revient dans la résolution de me marier ?

SILVESTRE

Oui.

OCTAVE

Avec une fille du seigneur Géronte ?

SILVESTRE

Du seigneur Géronte.

OCTAVE

Et que cette fille est mandée de Tarente ici pour cela ?

SILVESTRE

Oui.

OCTAVE

Et tu tiens ces nouvelles de mon oncle ?

SILVESTRE

De votre oncle.

OCTAVE

À qui mon père les a mandées par une lettre ?

SILVESTRE

Par une lettre.

OCTAVE

Et cet oncle, dis-tu, sait toutes nos affaires ?

SILVESTRE

Toutes nos affaires.

OCTAVE

Ah ! parle, si tu veux, et ne te fais point, de la sorte, arracher les mots de la bouche.

SILVESTRE

Qu'ai-je à parler davantage ? Vous n'oubliez aucune circonstance, et vous dites les choses tout justement comme elles sont.

OCTAVE

Conseille-moi, du moins, et me dis ce que je dois faire dans ces cruelles conjonctures.

SILVESTRE

Ma foi ! Je m'y trouve autant embarrassé que vous, et j'aurais bon besoin que l'on me conseillât moi-même.

OCTAVE

Je suis assassiné par ce maudit retour.

SILVESTRE

Je ne le suis pas moins.

OCTAVE

Lorsque mon père apprendra les choses, je vais voir fondre sur moi un orage soudain d'impétueuses réprimandes.

SILVESTRE

Les réprimandes ne sont rien ; et plût au Ciel que j'en fusse quitte à ce prix ! mais j'ai bien la mine, pour moi, de payer plus cher vos folies, et je vois se former de loin un nuage de coups de bâton qui crèvera sur mes épaules.

OCTAVE

Ô Ciel ! par où sortir de l'embarras où je me trouve ?

SILVESTRE

C'est à quoi vous deviez songer avant que de vous y jeter.

OCTAVE

Ah ! tu me fais mourir par tes leçons hors de saison.

SILVESTRE

Vous me faites bien plus mourir par vos actions étourdies.

OCTAVE

Que dois-je faire ? Quelle résolution prendre ? À quel remède recourir ?

SCÈNE 2
Scapin, Octave, Silvestre.

SCAPIN

Qu'est-ce, seigneur Octave, qu'avez-vous ? Qu'y a-t-il ? Quel désordre est-ce là ? Je vous vois tout troublé.

OCTAVE

Ah ! mon pauvre Scapin, je suis perdu, je suis désespéré, je suis le plus infortuné de tous les hommes.

SCAPIN

Comment ?

OCTAVE

N'as-tu rien appris de ce qui me regarde ?

SCAPIN

Non.

OCTAVE

Mon père arrive avec le seigneur Géronte, et ils me veulent marier.

SCAPIN

Hé bien ! qu'y a-t-il là de si funeste ?

OCTAVE

Hélas ! tu ne sais pas la cause de mon inquiétude ?

SCAPIN

Non ; mais il ne tiendra qu'à vous que je ne la sache bientôt ; et je suis homme consolatif, homme à m'intéresser aux affaires des jeunes gens.

OCTAVE

Ah ! Scapin, si tu pouvais trouver quelque invention, forger quelque machine[1], pour me tirer de la peine où je suis, je croirais t'être redevable de plus que de la vie.

SCAPIN

À vous dire la vérité, il y a peu de choses qui me soient impossibles, quand je m'en veux mêler. J'ai sans doute reçu du Ciel un génie assez beau pour toutes les fabriques de ces gentillesses d'esprit, de ces galanteries ingénieuses, à qui le vulgaire ignorant donne le nom de fourberies ; et je puis dire, sans vanité, qu'on n'a guère vu d'homme qui fût plus habile ouvrier de ressorts et d'intrigues, qui ait acquis plus de gloire que moi dans ce noble métier : mais, ma foi ! le mérite est trop maltraité aujourd'hui, et j'ai renoncé à toutes choses depuis certain chagrin d'une affaire qui m'arriva.

OCTAVE

Comment ? quelle affaire, Scapin ?

SCAPIN

Une aventure où je me brouillai avec la justice.

OCTAVE

La justice !

1. Machination, ruse.

SCAPIN

Oui, nous eûmes un petit démêlé ensemble.

SILVESTRE

Toi et la justice ?

SCAPIN

Oui. Elle en usa fort mal avec moi, et je me dépitai de telle sorte contre l'ingratitude du siècle que je résolus de ne plus rien faire. Baste. Ne laissez pas de me conter votre aventure.

OCTAVE

Tu sais, Scapin, qu'il y a deux mois que le seigneur Géronte et mon père s'embarquèrent ensemble pour un voyage qui regarde certain commerce où leurs intérêts sont mêlés.

SCAPIN

Je sais cela.

OCTAVE

Et que Léandre et moi nous fûmes laissés par nos pères, moi sous la conduite de Silvestre, et Léandre sous ta direction.

SCAPIN

Oui : je me suis fort bien acquitté de ma charge.

OCTAVE

Quelque temps après, Léandre fit rencontre d'une jeune Égyptienne dont il devint amoureux.

SCAPIN

Je sais cela encore.

OCTAVE

Comme nous sommes grands amis, il me fit aussitôt confidence de son amour et me mena voir cette fille, que je trouvai belle à la vérité, mais non pas tant qu'il voulait que je la trouvasse. Il ne m'entretenait que d'elle chaque jour, m'exagérait à tous moments sa beauté et sa grâce, me louait son esprit et me parlait avec transport des charmes de son entretien, dont il me rapportait jusqu'aux moindres paroles, qu'il s'efforçait toujours de me faire trouver les plus spirituelles du monde. Il me querellait quelquefois de n'être pas assez sensible aux choses qu'il me venait dire, et me blâmait sans cesse de l'indifférence où j'étais pour les feux de l'amour.

SCAPIN

Je ne vois pas encore où ceci veut aller.

OCTAVE

Un jour que je l'accompagnais pour aller chez les gens qui gardent l'objet de ses vœux, nous entendîmes, dans une petite maison d'une rue écartée, quelques plaintes mêlées de beaucoup de sanglots. Nous demandons ce que c'est. Une femme nous dit, en soupirant, que nous pouvions voir là quelque chose de pitoyable en des personnes étrangères, et qu'à moins d'être insensibles, nous en serions touchés.

SCAPIN

Où est-ce que cela nous mène ?

OCTAVE

La curiosité me fit presser Léandre de voir ce que c'était. Nous entrons dans une salle, où nous voyons une vieille femme mourante, assistée d'une servante qui faisait des regrets, et d'une jeune fille toute fondante en larmes, la plus belle et la plus touchante qu'on puisse jamais voir.

SCAPIN

Ah, ah !

OCTAVE

Une autre aurait paru effroyable en l'état où elle était, car elle n'avait pour habillement qu'une méchante petite jupe, avec des brassières de nuit qui étaient de simple futaine[1], et sa coiffure était une cornette jaune, retroussée au haut de sa tête, qui laissait tomber en désordre ses cheveux sur ses épaules ; et cependant, faite comme cela, elle brillait de mille attraits, et ce n'était qu'agréments et que charmes que toute sa personne.

SCAPIN

Je sens venir les choses.

1. Étoffe de lin et de coton.

OCTAVE

Si tu l'avais vue, Scapin, en l'état que je dis, tu l'aurais trouvée admirable.

SCAPIN

Oh ! je n'en doute point ; et, sans l'avoir vue, je vois bien qu'elle était tout à fait charmante.

OCTAVE

Ses larmes n'étaient point de ces larmes désagréables qui défigurent un visage ; elle avait à pleurer une grâce touchante, et sa douleur était la plus belle du monde.

SCAPIN

Je vois tout cela.

OCTAVE

Elle faisait fondre chacun en larmes, en se jetant amoureusement sur le corps de cette mourante, qu'elle appelait sa chère mère, et il n'y avait personne qui n'eût l'âme percée de voir un si bon naturel.

SCAPIN

En effet, cela est touchant, et je vois bien que ce bon naturel-là vous la fit aimer.

OCTAVE

Ah ! Scapin, un barbare l'aurait aimée.

SCAPIN

Assurément : le moyen de s'en empêcher ?

OCTAVE

Après quelques paroles, dont je tâchai d'adoucir
la douleur de cette charmante affligée, nous sortîmes
de là ; et demandant à Léandre ce qu'il lui semblait
de cette personne, il me répondit froidement qu'il la
trouvait assez jolie. Je fus piqué de la froideur avec
laquelle il m'en parlait, et je ne voulus point lui
découvrir l'effet que ses beautés avaient fait sur mon
âme.

SILVESTRE, *à Octave.*

Si vous n'abrégez ce récit, nous en voilà pour
jusqu'à demain. Laissez-le-moi finir en deux mots.
(À Scapin.) Son cœur prend feu dès ce moment. Il
ne saurait plus vivre, qu'il n'aille consoler son aimable affligée. Ses fréquentes visites sont rejetées de la
servante, devenue la gouvernante par le trépas de la
mère ; voilà mon homme au désespoir. Il presse,
supplie, conjure : point d'affaire. On lui dit que la
fille, quoique sans bien et sans appui, est de famille
honnête et qu'à moins que de l'épouser, on ne peut
souffrir ses poursuites. Voilà son amour augmenté
par les difficultés. Il consulte dans sa tête, agite,
raisonne, balance, prend sa résolution : le voilà marié
avec elle depuis trois jours.

SCAPIN

J'entends.

SILVESTRE

Maintenant, mets avec cela le retour imprévu du père, qu'on n'attendait que dans deux mois ; la découverte que l'oncle a faite du secret de notre mariage, et l'autre mariage qu'on veut faire de lui avec la fille que le seigneur Géronte a eue d'une seconde femme qu'on dit qu'il a épousée à Tarente.

OCTAVE

Et par-dessus tout cela, mets encore l'indigence où se trouve cette aimable personne et l'impuissance où je me vois d'avoir de quoi la secourir.

SCAPIN

Est-ce là tout ? Vous voilà bien embarrassés tous deux pour une bagatelle. C'est bien là de quoi se tant alarmer. N'as-tu point de honte, toi, de demeurer court à si peu de chose ? Que diable ! te voilà grand et gros comme père et mère, et tu ne saurais trouver dans ta tête, forger dans ton esprit quelque ruse galante, quelque honnête petit stratagème, pour ajuster vos affaires ? Fi ! peste soit du butor ! Je voudrais bien que l'on m'eût donné autrefois nos vieillards à duper ; je les aurais joués tous deux par-dessous la jambe et je n'étais pas plus grand que cela que je me signalais déjà par cent tours d'adresse jolis.

SILVESTRE

J'avoue que le Ciel ne m'a pas donné tes talents, et que je n'ai pas l'esprit, comme toi, de me brouiller avec la justice.

OCTAVE

Voici mon aimable Hyacinte.

SCÈNE 3
Hyacinte, Octave, Scapin, Silvestre.

HYACINTE

Ah ! Octave, est-il vrai ce que Silvestre vient de dire à Nérine ? Que votre père est de retour et qu'il veut vous marier ?

OCTAVE

Oui, belle Hyacinte, et ces nouvelles m'ont donné une atteinte cruelle. Mais que vois-je ? vous pleurez ! Pourquoi ces larmes ? Me soupçonnez-vous, dites-moi, de quelque infidélité, et n'êtes-vous pas assurée de l'amour que j'ai pour vous ?

HYACINTE

Oui, Octave, je suis sûre que vous m'aimez ; mais je ne le suis pas que vous m'aimiez toujours.

OCTAVE

Eh ! peut-on vous aimer qu'on ne vous aime toute sa vie ?

HYACINTE

J'ai ouï dire, Octave, que votre sexe aime moins longtemps que le nôtre, et que les ardeurs que les hommes font voir sont des feux qui s'éteignent aussi facilement qu'ils naissent.

OCTAVE

Ah ! ma chère Hyacinte, mon cœur n'est donc pas fait comme celui des autres hommes, et je sens bien, pour moi, que je vous aimerai jusqu'au tombeau.

HYACINTE

Je veux croire que vous sentez ce que vous dites, et je ne doute point que vos paroles ne soient sincères ; mais je crains un pouvoir qui combattra dans votre cœur les tendres sentiments que vous pouvez avoir pour moi. Vous dépendez d'un père, qui veut vous marier à une autre personne ; et je suis sûre que je mourrai, si ce malheur m'arrive.

OCTAVE

Non, belle Hyacinte, il n'y a point de père qui puisse me contraindre à vous manquer de foi, et je me résoudrai à quitter mon pays, et le jour[1] même, s'il est besoin, plutôt qu'à vous quitter. J'ai déjà pris, sans l'avoir vue, une aversion effroyable pour celle que l'on me destine ; et, sans être cruel, je souhaiterais que la mer l'écartât d'ici pour jamais. Ne pleurez donc point, je vous prie, mon aimable Hyacinte, car vos larmes me tuent, et je ne les puis voir sans me sentir percer le cœur.

---

1. Ici, la vie.

HYACINTE

Puisque vous le voulez, je veux bien essuyer mes pleurs, et j'attendrai d'un œil constant ce qu'il plaira au Ciel de résoudre de moi.

OCTAVE

Le Ciel nous sera favorable.

HYACINTE

Il ne saurait m'être contraire, si vous m'êtes fidèle.

OCTAVE

Je le serai assurément.

HYACINTE

Je serai donc heureuse.

SCAPIN, *à part.*

Elle n'est pas tant sotte, ma foi ! et je la trouve assez passable.

OCTAVE, *montrant Scapin.*

Voici un homme qui pourrait bien, s'il le voulait, nous être, dans tous nos besoins, d'un secours merveilleux.

SCAPIN

J'ai fait de grands serments de ne me mêler plus du monde ; mais, si vous m'en priez bien fort tous deux, peut-être...

OCTAVE

Ah ! s'il ne tient qu'à te prier bien fort pour obtenir ton aide, je te conjure de tout mon cœur de prendre la conduite de notre barque.

SCAPIN, *à Hyacinte.*

Et vous, ne me dites-vous rien ?

HYACINTE

Je vous conjure, à son exemple, par tout ce qui vous est le plus cher au monde, de vouloir servir notre amour.

SCAPIN

Il faut se laisser vaincre et avoir de l'humanité. Allez, je veux m'employer pour vous.

OCTAVE

Crois que...

SCAPIN

Chut ! *(À Hyacinte.)* Allez-vous-en, vous, et soyez en repos. *(À Octave.)* Et vous, préparez-vous à soutenir avec fermeté l'abord de votre père.

OCTAVE

Je t'avoue que cet abord me fait trembler· par avance, et j'ai une timidité naturelle que je ne saurais vaincre.

SCAPIN

Il faut pourtant paraître ferme au premier choc, de peur que, sur votre faiblesse, il ne prenne le pied de vous mener comme un enfant. Là, tâchez de vous composer par étude. Un peu de hardiesse, et songez à répondre résolument sur tout ce qu'il pourra vous dire.

OCTAVE

Je ferai du mieux que je pourrai.

SCAPIN

Çà, essayons un peu, pour vous accoutumer. Répétons un peu votre rôle et voyons si vous ferez bien. Allons. La mine résolue, la tête haute, les regards assurés.

OCTAVE

Comme cela ?

SCAPIN

Encore un peu davantage.

OCTAVE

Ainsi ?

SCAPIN

Bon. Imaginez-vous que je suis votre père qui arrive, et répondez-moi fermement, comme si c'était à lui-même. « Comment ! pendard, vaurien, infâme, fils indigne d'un père comme moi, oses-tu bien paraître devant mes yeux, après tes bons déportements, après le lâche tour que tu m'as joué pendant mon absence ? Est-ce là le fruit de mes soins, maraud ? Est-ce là le fruit de mes soins ? le respect qui m'est dû ? le respect que tu me conserves ? » Allons donc ! « Tu as l'insolence, fripon, de t'engager sans le consentement de ton père, de contracter un mariage clandestin ? Réponds-moi, coquin, réponds-moi. Voyons un peu tes belles raisons. » Oh ! que diable ! vous demeurez interdit !

OCTAVE

C'est que je m'imagine que c'est mon père que j'entends.

SCAPIN

Eh ! oui. C'est par cette raison qu'il ne faut pas être comme un innocent.

OCTAVE

Je m'en vais prendre plus de résolution, et je répondrai fermement.

SCAPIN

Assurément ?

OCTAVE

Assurément.

SILVESTRE

Voilà votre père qui vient.

OCTAVE, *s'enfuyant.*

Ô Ciel ! je suis perdu !

SCAPIN

Holà ! Octave, demeurez, Octave ! Le voilà enfui. Quelle pauvre espèce d'homme ! Ne laissons pas d'attendre le vieillard.

SILVESTRE

Que lui dirai-je ?

SCAPIN

Laisse-moi dire, moi, et ne fais que me suivre.

SCÈNE 4
Argante, Scapin, Silvestre.

ARGANTE, *se croyant seul.*

A-t-on jamais ouï parler d'une action pareille à celle-là ?

SCAPIN, *à Silvestre.*

Il a déjà appris l'affaire, et elle lui tient si fort en tête, que tout seul il en parle haut.

ARGANTE, *se croyant seul.*

Voilà une témérité bien grande !

SCAPIN, *à Silvestre*.

Écoutons-le un peu.

ARGANTE, *se croyant seul*.

Je voudrais bien savoir ce qu'ils me pourront dire sur ce beau mariage.

SCAPIN, *à part*.

Nous y avons songé.

ARGANTE, *se croyant seul*.

Tâcheront-ils de me nier la chose ?

SCAPIN, *à part*.

Non, nous n'y pensons pas.

ARGANTE, *se croyant seul*.

Ou s'ils entreprendront de l'excuser ?

SCAPIN, *à part*.

Celui-là [1] se pourra faire.

ARGANTE, *se croyant seul*.

Prétendront-ils m'amuser par des contes en l'air ?

SCAPIN, *à part*.

Peut-être.

1. Cela.

ARGANTE, *se croyant seul*.

Tous leurs discours seront inutiles.

SCAPIN, *à part*.

Nous allons voir.

ARGANTE, *se croyant seul*.

Ils ne m'en donneront point à garder[1].

SCAPIN, *à part*.

Ne jurons de rien.

ARGANTE, *se croyant seul*.

Je saurai mettre mon pendard de fils en lieu de sûreté.

SCAPIN, *à part*.

Nous y pourvoirons.

ARGANTE, *se croyant seul*.

Et pour le coquin de Silvestre, je le rouerai de coups.

SILVESTRE, *à Scapin*.

J'étais bien étonné s'il m'oubliait.

ARGANTE, *apercevant Silvestre*.

Ah, ah ! vous voilà donc, sage gouverneur de famille, beau directeur de jeunes gens !

_____
1. Ils n'arriveront pas à me duper.

SCAPIN

Monsieur, je suis ravi de vous voir de retour.

ARGANTE

Bonjour, Scapin. *(À Silvestre.)* Vous avez suivi mes ordres vraiment d'une belle manière, et mon fils s'est comporté fort sagement pendant mon absence !

SCAPIN

Vous vous portez bien, à ce que je vois ?

ARGANTE

Assez bien. *(À Silvestre.)* Tu ne dis mot, coquin, tu ne dis mot !

SCAPIN

Votre voyage a-t-il été bon ?

ARGANTE

Mon Dieu ! fort bon. Laisse-moi un peu quereller en repos.

SCAPIN

Vous voulez quereller ?

ARGANTE

Oui, je veux quereller.

SCAPIN

Et qui, Monsieur ?

ARGANTE, *montrant Silvestre.*

Ce maraud-là.

SCAPIN

Pourquoi ?

ARGANTE

Tu n'as pas ouï parler de ce qui s'est passé dans mon absence ?

SCAPIN

J'ai bien ouï parler de quelque petite chose.

ARGANTE

Comment, quelque petite chose ! Une action de cette nature ?

SCAPIN

Vous avez quelque raison.

ARGANTE

Une hardiesse pareille à celle-là ?

SCAPIN

Cela est vrai.

ARGANTE

Un fils qui se marie sans le consentement de son père ?

SCAPIN

Oui, il y a quelque chose à dire à cela. Mais je serais d'avis que vous ne fissiez point de bruit.

ARGANTE

Je ne suis pas de cet avis, moi, et je veux faire du bruit tout mon soûl. Quoi ? tu ne trouves pas que j'aie tous les sujets du monde d'être en colère ?

SCAPIN

Si fait. J'y ai d'abord été, moi, lorsque j'ai su la chose, et je me suis intéressé pour vous, jusqu'à quereller votre fils. Demandez-lui un peu quelles belles réprimandes je lui ai faites, et comme je l'ai chapitré sur le peu de respect qu'il gardait à un père dont il devait baiser les pas ? On ne peut pas lui mieux parler, quand ce serait vous-même. Mais quoi ? je me suis rendu à la raison, et j'ai considéré que dans le fond, il n'a pas tant de tort qu'on pourrait croire.

ARGANTE

Que me viens-tu conter ? Il n'a pas tant de tort de s'aller marier de but en blanc avec une inconnue ?

SCAPIN

Que voulez-vous ? il y a été poussé par sa destinée.

ARGANTE

Ah, ah ! voici une raison la plus belle du monde. On n'a plus qu'à commettre tous les crimes imagi-

nables, tromper, voler, assassiner, et dire pour excuse
qu'on y a été poussé par sa destinée.

SCAPIN

Mon Dieu ! vous prenez mes paroles trop en phi-
losophe. Je veux dire qu'il s'est trouvé fatalement
engagé dans cette affaire.

ARGANTE

Et pourquoi s'y engageait-il ?

SCAPIN

Voulez-vous qu'il soit aussi sage que vous ? Les
jeunes gens sont jeunes, et n'ont pas toute la prudence qu'il leur faudrait pour ne rien faire que de
raisonnable : témoin notre Léandre, qui, malgré toutes mes leçons, malgré toutes mes remontrances, est
allé faire, de son côté, pis encore que votre fils. Je
voudrais bien savoir si vous-même n'avez pas été
jeune et n'avez pas, dans votre temps, fait des fre-
daines comme les autres. J'ai ouï dire, moi, que vous
avez été autrefois un compagnon parmi les femmes,
que vous faisiez de votre drôle avec les plus galantes
de ce temps-là, et que vous n'en approchiez point
que vous ne poussassiez à bout.

ARGANTE

Cela est vrai, j'en demeure d'accord ; mais je m'en
suis toujours tenu à la galanterie, et je n'ai point été
jusqu'à faire ce qu'il a fait.

SCAPIN

Que vouliez-vous qu'il fît ? Il voit une jeune personne qui lui veut du bien (car il tient cela de vous, d'être aimé de toutes les femmes). Il la trouve charmante. Il lui rend des visites, lui conte des douceurs, soupire galamment, fait le passionné. Elle se rend à sa poursuite. Il pousse sa fortune. Le voilà surpris avec elle par ses parents, qui, la force à la main, le contraignent de l'épouser.

SILVESTRE, *à part.*

L'habile fourbe que voilà !

SCAPIN

Eussiez-vous voulu qu'il se fût laissé tuer ? Il vaut mieux encore être marié qu'être mort.

ARGANTE

On ne m'a pas dit que l'affaire se soit ainsi passée.

SCAPIN, *montrant Silvestre.*

Demandez-lui plutôt : il ne vous dira pas le contraire.

ARGANTE, *à Silvestre.*

C'est par force qu'il a été marié ?

SILVESTRE

Oui, Monsieur.

SCAPIN

Voudrais-je vous mentir ?

ARGANTE

Il devait donc aller tout aussitôt protester de violence chez un notaire.

SCAPIN

C'est ce qu'il n'a pas voulu faire.

ARGANTE

Cela m'aurait donné plus de facilité à rompre ce
mariage.

SCAPIN

Rompre ce mariage !

ARGANTE

Oui.

SCAPIN

Vous ne le romprez point.

ARGANTE

Je ne le romprai point ?

SCAPIN

Non.

ARGANTE

Quoi ? je n'aurai pas pour moi les droits de père, et la raison de la violence qu'on a faite à mon fils ?

SCAPIN

C'est une chose dont il ne demeurera pas d'accord.

ARGANTE

Il n'en demeurera pas d'accord ?

SCAPIN

Non.

ARGANTE

Mon fils ?

SCAPIN

Votre fils. Voulez-vous qu'il confesse qu'il ait été capable de crainte, et que ce soit par force qu'on lui ait fait faire les choses ? Il n'a garde d'aller avouer cela. Ce serait se faire tort, et se montrer indigne d'un père comme vous.

ARGANTE

Je me moque de cela.

SCAPIN

Il faut, pour son honneur et pour le vôtre, qu'il dise dans le monde que c'est de bon gré qu'il l'a épousée.

ARGANTE

Et je veux, moi, pour mon honneur et pour le sien,
qu'il dise le contraire.

SCAPIN

Non, je suis sûr qu'il ne le fera pas.

ARGANTE

Je l'y forcerai bien.

SCAPIN

Il ne le fera pas, vous dis-je.

ARGANTE

Il le fera ou je le déshériterai.

SCAPIN

Vous ?

ARGANTE

Moi.

SCAPIN

Bon !

ARGANTE

Comment, bon !

SCAPIN

Vous ne le déshériterez point.

ARGANTE

Je ne le déshériterai point ?

SCAPIN

Non.

ARGANTE

Non ?

SCAPIN

Non.

ARGANTE

Ouais ! voici qui est plaisant : je ne déshériterai
pas mon fils ?

SCAPIN

Non, vous dis-je.

ARGANTE

Qui m'en empêchera ?

SCAPIN

Vous-même.

ARGANTE

Moi ?

SCAPIN

Oui. Vous n'aurez pas ce cœur-là.

ARGANTE

Je l'aurai.

SCAPIN

Vous vous moquez.

ARGANTE

Je ne me moque point.

SCAPIN

La tendresse paternelle fera son office.

ARGANTE

Elle ne fera rien.

SCAPIN

Oui, oui.

ARGANTE

Je vous dis que cela sera.

SCAPIN

Bagatelles.

ARGANTE

Il ne faut point dire bagatelles.

SCAPIN

Mon Dieu ! je vous connais, vous êtes bon
naturellement.

ARGANTE

Je ne suis point bon, et je suis méchant quand je veux. Finissons ce discours qui m'échauffe la bile. *(À Silvestre.)* Va-t'en, pendard, va-t'en me chercher mon fripon, tandis que j'irai rejoindre le seigneur Géronte, pour lui conter ma disgrâce.

SCAPIN

Monsieur, si je vous puis être utile en quelque chose, vous n'avez qu'à me commander.

ARGANTE

Je vous remercie. *(À part.)* Ah ! pourquoi faut-il qu'il soit fils unique ! et que n'ai-je à cette heure la fille que le Ciel m'a ôtée, pour la faire mon héritière !

SCÈNE 5
Scapin, Silvestre.

SILVESTRE

J'avoue que tu es un grand homme, et voilà l'affaire en bon train ; mais l'argent, d'autre part, nous presse pour notre subsistance, et nous avons, de tous côtés, des gens qui aboient après nous.

SCAPIN

Laisse-moi faire, la machine est trouvée. Je cherche seulement dans ma tête un homme qui nous soit affidé, pour jouer un personnage dont j'ai besoin.

Attends. Tiens-toi un peu. Enfonce ton bonnet en méchant garçon. Campe-toi sur un pied. Mets la main au côté. Fais les yeux furibonds. Marche un peu en roi de théâtre. Voilà qui est bien. Suis-moi. J'ai des secrets pour déguiser ton visage et ta voix.

SILVESTRE

Je te conjure au moins de ne m'aller point brouiller avec la justice.

SCAPIN

Va, va, nous partagerons les périls en frères ; et trois ans de galère de plus ou de moins ne sont pas pour arrêter un noble cœur.

ACTE II

SCÈNE 1
Géronte, Argante.

GÉRONTE

Oui, sans doute, par le temps qu'il fait, nous aurons ici nos gens aujourd'hui ; et un matelot qui vient de Tarente m'a assuré qu'il avait vu mon homme qui était près de s'embarquer. Mais l'arrivée de ma fille trouvera les choses mal disposées à ce que nous nous proposions, et ce que vous venez de m'apprendre de votre fils rompt étrangement les mesures que nous avions prises ensemble.

ARGANTE

Ne vous mettez pas en peine : je vous réponds de renverser tout cet obstacle, et j'y vais travailler de ce pas.

GÉRONTE

Ma foi ! seigneur Argante, voulez-vous que je vous dise ? l'éducation des enfants est une chose à quoi il faut s'attacher fortement.

ARGANTE

Sans doute. À quel propos cela ?

GÉRONTE

À propos de ce que les mauvais déportements des jeunes gens viennent le plus souvent de la mauvaise éducation que leurs pères leur donnent.

ARGANTE

Cela arrive parfois. Mais que voulez-vous dire par là ?

GÉRONTE

Ce que je veux dire par là ?

ARGANTE

Oui.

GÉRONTE

Que si vous aviez, en brave père, bien morigéné votre fils, il ne vous aurait pas joué le tour qu'il vous a fait.

ARGANTE

Fort bien. De sorte donc que vous avez bien mieux morigéné le vôtre ?

GÉRONTE

Sans doute, et je serais bien fâché qu'il m'eût rien fait approchant de cela.

ARGANTE

Et si ce fils que vous avez, en brave père, si bien
moriginé, avait fait pis encore que le mien ? eh ?

GÉRONTE

Comment ?

ARGANTE

Comment ?

GÉRONTE

Qu'est-ce que cela veut dire ?

ARGANTE

Cela veut dire, seigneur Géronte, qu'il ne faut pas
être si prompt à condamner la conduite des autres ;
et que ceux qui veulent gloser doivent bien regarder
chez eux s'il n'y a rien qui cloche.

GÉRONTE

Je n'entends point cette énigme.

ARGANTE

On vous l'expliquera.

GÉRONTE

Est-ce que vous auriez ouï dire quelque chose de
mon fils ?

ARGANTE

Cela se peut faire.

GÉRONTE

Et quoi encore ?

ARGANTE

Votre Scapin, dans mon dépit, ne m'a dit la chose qu'en gros ; et vous pourrez, de lui ou de quelque autre, être instruit du détail. Pour moi, je vais vite consulter un avocat, et aviser des biais que j'ai à prendre. Jusqu'au revoir.

SCÈNE 2
Léandre, Géronte.

GÉRONTE, *seul.*

Que pourrait-ce être que cette affaire-ci ? Pis encore que le sien ? Pour moi, je ne vois pas ce que l'on peut faire de pis ; et je trouve que se marier sans le consentement de son père est une action qui passe tout ce qu'on peut s'imaginer. Ah ! vous voilà !

LÉANDRE, *en courant à lui pour l'embrasser.*

Ah ! mon père, que j'ai de joie de vous voir de retour !

GÉRONTE, *refusant de l'embrasser.*

Doucement. Parlons un peu d'affaire.

LÉANDRE

Souffrez que je vous embrasse, et que...

GÉRONTE, *le repoussant encore.*

Doucement, vous dis-je.

LÉANDRE

Quoi ? Vous me refusez, mon père, de vous expri-
mer mon transport par mes embrassements ?

GÉRONTE

Oui : nous avons quelque chose à démêler ensemble.

LÉANDRE

Et quoi ?

GÉRONTE

Tenez-vous, que je vous voie en face.

LÉANDRE

Comment ?

GÉRONTE

Regardez-moi entre deux yeux.

LÉANDRE

Hé bien ?

GÉRONTE

Qu'est-ce donc qu'il s'est passé ici ?

LÉANDRE

Ce qui s'est passé ?

GÉRONTE

Oui. Qu'avez-vous fait dans mon absence ?

LÉANDRE

Que voulez-vous, mon père, que j'aie fait ?

GÉRONTE

Ce n'est pas moi qui veux que vous ayez fait, mais qui demande ce que c'est que vous avez fait.

LÉANDRE

Moi, je n'ai fait aucune chose dont vous ayez lieu de vous plaindre.

GÉRONTE

Aucune chose ?

LÉANDRE

Non.

GÉRONTE

Vous êtes bien résolu.

LÉANDRE

C'est que je suis sûr de mon innocence.

GÉRONTE

Scapin pourtant a dit de vos nouvelles.

LÉANDRE

Scapin !

GÉRONTE

Ah, ah ! ce mot vous fait rougir.

LÉANDRE

Il vous a dit quelque chose de moi ?

GÉRONTE

Ce lieu n'est pas tout à fait propre à vider cette affaire, et nous allons l'examiner ailleurs. Qu'on se rende au logis. J'y vais revenir tout à l'heure. Ah ! traître, s'il faut que tu me déshonores, je te renonce pour mon fils, et tu peux bien pour jamais te résoudre à fuir de ma présence.

SCÈNE 3
Octave, Scapin, Léandre.

LÉANDRE, *seul.*

Me trahir de cette manière ! Un coquin qui doit, par cent raisons, être le premier à cacher les choses que je lui confie, est le premier à les aller découvrir à mon père. Ah ! je jure le Ciel que cette trahison ne demeurera pas impunie.

OCTAVE

Mon cher Scapin, que ne dois-je point à tes soins !
Que tu es un homme admirable ! et que le Ciel m'est
favorable de t'envoyer à mon secours !

LÉANDRE

Ah, ah ! vous voilà. Je suis ravi de vous trouver,
monsieur le coquin.

SCAPIN

Monsieur, votre serviteur. C'est trop d'honneur
que vous me faites.

LÉANDRE, *en mettant l'épée à la main.*

Vous faites le méchant plaisant ? Ah ! je vous
apprendrai...

SCAPIN, *se mettant à genoux.*

Monsieur !

OCTAVE, *se mettant entre eux pour empêcher
Léandre de le frapper.*

Ah ! Léandre !

LÉANDRE

Non, Octave, ne me retenez point, je vous prie.

SCAPIN, *à Léandre.*

Eh ! Monsieur !

OCTAVE, *le retenant.*

De grâce !

LÉANDRE, *voulant frapper Scapin.*

Laissez-moi contenter mon ressentiment.

OCTAVE

Au nom de l'amitié, Léandre, ne le maltraitez point.

SCAPIN

Monsieur, que vous ai-je fait ?

LÉANDRE, *voulant le frapper.*

Ce que tu m'as fait, traître !

OCTAVE, *le retenant.*

Eh ! doucement !

LÉANDRE

Non, Octave, je veux qu'il me confesse lui-même tout à l'heure la perfidie qu'il m'a faite. Oui, coquin, je sais le trait que tu m'as joué, on vient de me l'apprendre ; et tu ne croyais pas peut-être que l'on me dût révéler ce secret ; mais je veux en avoir la confession de ta propre bouche, ou je vais te passer cette épée au travers du corps.

SCAPIN

Ah ! Monsieur, auriez-vous bien ce cœur-là ?

LÉANDRE

Parle donc.

SCAPIN

Je vous ai fait quelque chose, Monsieur ?

LÉANDRE

Oui, coquin, et ta conscience ne te dit que trop ce que c'est.

SCAPIN

Je vous assure que je l'ignore.

LÉANDRE, *s'avançant pour le frapper.*

Tu l'ignores !

OCTAVE, *le retenant.*

Léandre !

SCAPIN

Hé bien ! Monsieur, puisque vous le voulez, je vous confesse que j'ai bu avec mes amis ce petit quartaut de vin d'Espagne dont on vous fit présent il y a quelques jours, et que c'est moi qui fis une fente au tonneau, et répandis de l'eau autour pour faire croire que le vin s'était échappé.

LÉANDRE

C'est toi, pendard, qui m'as bu mon vin d'Espagne, et qui as été cause que j'ai tant querellé la servante, croyant que c'était elle qui m'avait fait le tour ?

SCAPIN

Oui, Monsieur, je vous en demande pardon.

LÉANDRE

Je suis bien aise d'apprendre cela ; mais ce n'est pas l'affaire dont il est question maintenant.

SCAPIN

Ce n'est pas cela, Monsieur ?

LÉANDRE

Non : c'est une autre affaire qui me touche bien plus, et je veux que tu me la dises.

SCAPIN

Monsieur, je ne me souviens pas d'avoir fait autre chose.

LÉANDRE, *le voulant frapper*.

Tu ne veux pas parler ?

SCAPIN

Eh !

OCTAVE, *le retenant*.

Tout doux !

SCAPIN

Oui, Monsieur, il est vrai qu'il y a trois semaines que vous m'envoyâtes porter, le soir, une petite montre à la jeune Égyptienne que vous aimez. Je revins au logis, mes habits tout couverts de boue et le visage plein de sang, et vous dis que j'avais trouvé des voleurs qui m'avaient bien battu, et m'avaient dérobé la montre. C'était moi, Monsieur, qui l'avais retenue.

LÉANDRE

C'est toi qui as retenu ma montre ?

SCAPIN

Oui, Monsieur, afin de voir quelle heure il est.

LÉANDRE

Ah, ah ! j'apprends ici de jolies choses, et j'ai un serviteur fort fidèle, vraiment. Mais ce n'est pas encore cela que je demande.

SCAPIN

Ce n'est pas cela ?

LÉANDRE

Non, infâme : c'est autre chose encore que je veux que tu me confesses.

SCAPIN, à part.

Peste !

LÉANDRE

Parle vite, j'ai hâte.

SCAPIN

Monsieur, voilà tout ce que j'ai fait.

LÉANDRE, *voulant frapper Scapin.*

Voilà tout ?

OCTAVE, *se mettant au-devant.*

Eh !

SCAPIN

Hé bien ! oui, Monsieur : vous vous souvenez de ce loup-garou, il y a six mois, qui vous donna tant de coups de bâton, la nuit, et vous pensa faire rompre le cou dans une cave où vous tombâtes en fuyant.

LÉANDRE

Hé bien ?

SCAPIN

C'était moi, Monsieur, qui faisais le loup-garou.

LÉANDRE

C'était toi, traître, qui faisais le loup-garou ?

SCAPIN

Oui, Monsieur, seulement pour vous faire peur, et vous ôter l'envie de nous faire courir, toutes les nuits, comme vous aviez de coutume.

LÉANDRE

Je saurai me souvenir, en temps et lieu, de tout ce que je viens d'apprendre. Mais je veux venir au fait, et que tu me confesses ce que tu as dit à mon père.

SCAPIN

À votre père ?

LÉANDRE

Oui, fripon, à mon père.

SCAPIN

Je ne l'ai pas seulement vu depuis son retour.

LÉANDRE

Tu ne l'as pas vu ?

SCAPIN

Non, Monsieur.

LÉANDRE

Assurément ?

SCAPIN

Assurément. C'est une chose que je vais vous faire dire par lui-même.

LÉANDRE

C'est de sa bouche que je le tiens, pourtant.

SCAPIN

Avec votre permission, il n'a pas dit la vérité.

SCÈNE 4
Carle, Scapin, Léandre, Octave.

CARLE

Monsieur, je vous apporte une nouvelle qui est fâcheuse pour votre amour.

LÉANDRE

Comment ?

CARLE

Vos Égyptiens sont sur le point de vous enlever Zerbinette, et elle-même, les larmes aux yeux, m'a chargé de venir promptement vous dire que, si dans deux heures vous ne songez à leur porter l'argent qu'ils vous ont demandé pour elle, vous l'allez perdre pour jamais.

LÉANDRE

Dans deux heures ?

CARLE

Dans deux heures. *(Il sort.)*

LÉANDRE

Ah ! mon pauvre Scapin, j'implore ton secours !

SCAPIN, *passant devant lui avec un air fier.*

« Ah ! mon pauvre Scapin. » Je suis « mon pauvre Scapin » à cette heure qu'on a besoin de moi.

LÉANDRE

Va, je te pardonne tout ce que tu viens de me dire, et pis encore, si tu me l'as fait.

SCAPIN

Non, non, ne me pardonnez rien. Passez-moi votre épée au travers du corps. Je serai ravi que vous me tuiez.

LÉANDRE

Non. Je te conjure plutôt de me donner la vie, en servant mon amour.

SCAPIN

Point, point : vous ferez mieux de me tuer.

LÉANDRE

Tu m'es trop précieux ; et je te prie de vouloir employer pour moi ce génie admirable, qui vient à bout de toute chose.

SCAPIN

Non ; tuez-moi, vous dis-je.

LÉANDRE

Ah ! de grâce, ne songe plus à tout cela, et pense à me donner le secours que je te demande !

OCTAVE

Scapin, il faut faire quelque chose pour lui.

SCAPIN

Le moyen, après une avanie de la sorte ?

LÉANDRE

Je te conjure d'oublier mon emportement et de me prêter ton adresse.

OCTAVE

Je joins mes prières aux siennes.

SCAPIN

J'ai cette insulte-là sur le cœur.

OCTAVE

Il faut quitter ton ressentiment.

LÉANDRE

Voudrais-tu m'abandonner, Scapin, dans la cruelle extrémité où se voit mon amour ?

SCAPIN

Me venir faire, à l'improviste, un affront comme celui-là !

LÉANDRE

J'ai tort, je le confesse.

SCAPIN

Me traiter de coquin, de fripon, de pendard, d'infâme !

LÉANDRE

J'en ai tous les regrets du monde.

SCAPIN

Me vouloir passer son épée au travers du corps !

LÉANDRE

Je t'en demande pardon de tout mon cœur ; et, s'il ne tient qu'à me jeter à tes genoux, tu m'y vois, Scapin, pour te conjurer encore une fois de ne me point abandonner.

OCTAVE

Ah ! ma foi ! Scapin, il se faut rendre à cela.

SCAPIN

Levez-vous. Une autre fois, ne soyez point si prompt.

LÉANDRE

Me promets-tu de travailler pour moi ?

SCAPIN

On y songera.

LÉANDRE

Mais tu sais que le temps presse.

SCAPIN

Ne vous mettez pas en peine. Combien est-ce qu'il vous faut ?

LÉANDRE

Cinq cents écus.

SCAPIN

Et à vous ?

OCTAVE

Deux cents pistoles.

SCAPIN

Je veux tirer cet argent de vos pères. *(À Octave.)* Pour ce qui est du vôtre, la machine est déjà toute trouvée ; *(À Léandre.)* et quant au vôtre, bien qu'avare au dernier degré, il y faudra moins de façons encore, car vous savez que, pour l'esprit, il n'en a pas, grâces à Dieu ! grande provision, et je le livre[1] pour une espèce d'homme à qui l'on fera toujours croire tout ce que l'on voudra. Cela ne vous offense point : il ne tombe entre lui et vous aucun soupçon de ressemblance ; et vous savez assez l'opinion de tout le monde, qui veut qu'il ne soit votre père que pour la forme.

LÉANDRE

Tout beau, Scapin.

SCAPIN

Bon, bon, on fait bien scrupule de cela : vous moquez-vous ? Mais j'aperçois venir le père d'Octave. Commençons par lui, puisqu'il se pré-

---

1. Je le tiens pour.

sente. Allez-vous-en tous deux. *(À Octave.)* Et vous, avertissez votre Silvestre de venir vite jouer son rôle.

SCÈNE 5
Argante, Scapin.

SCAPIN, *à part.*

Le voilà qui rumine.

ARGANTE, *se croyant seul.*

Avoir si peu de conduite et de considération ! s'aller jeter dans un engagement comme celui-là ! Ah, ah ! jeunesse impertinente !

SCAPIN

Monsieur, votre serviteur.

ARGANTE

Bonjour, Scapin.

SCAPIN

Vous rêvez à l'affaire de votre fils ?

ARGANTE

Je t'avoue que cela me donne un furieux chagrin.

SCAPIN

Monsieur, la vie est mêlée de traverses. Il est bon de s'y tenir sans cesse préparé ; et j'ai ouï dire, il y a longtemps, une parole d'un ancien que j'ai toujours retenue.

ARGANTE

Quoi ?

SCAPIN

Que, pour peu qu'un père de famille ait été absent de chez lui, il doit promener son esprit sur tous les fâcheux accidents que son retour peut rencontrer : se figurer sa maison brûlée, son argent dérobé, sa femme morte, son fils estropié, sa fille subornée ; et ce qu'il trouve qu'il ne lui est point arrivé, l'imputer à bonne fortune. Pour moi, j'ai pratiqué toujours cette leçon dans ma petite philosophie ; et je ne suis jamais revenu au logis, que je ne me sois tenu prêt à la colère de mes maîtres, aux réprimandes, aux injures, aux coups de pied au cul, aux bastonnades, aux étrivières [1] ; et ce qui a manqué à m'arriver, j'en ai rendu grâce à mon bon destin.

ARGANTE

Voilà qui est bien. Mais ce mariage impertinent qui trouble celui que nous voulons faire est une chose que je ne puis souffrir, et je viens de consulter des avocats pour le faire casser.

SCAPIN

Ma foi ! Monsieur, si vous m'en croyez, vous tâcherez, par quelque autre voie, d'accommoder

1. En équitation : lanières de cuir portant les étriers.

l'affaire. Vous savez ce que c'est que les procès en ce pays-ci, et vous allez vous enfoncer dans d'étranges épines.

ARGANTE

Tu as raison, je le vois bien. Mais quelle autre voie ?

SCAPIN

Je pense que j'en ai trouvé une. La compassion que m'a donnée tantôt votre chagrin m'a obligé à chercher dans ma tête quelque moyen pour vous tirer d'inquiétude ; car je ne saurais voir d'honnêtes pères chagrinés par leurs enfants que cela ne m'émeuve ; et, de tout temps, je me suis senti pour votre personne une inclination particulière.

ARGANTE

Je te suis obligé.

SCAPIN

J'ai donc été trouver le frère de cette fille qui a été épousée. C'est un de ces braves[1] de profession, de ces gens qui sont tous coups d'épée, qui ne parlent que d'échiner[2], et ne font non plus de conscience de tuer un homme que d'avaler un verre de vin. Je l'ai mis sur ce mariage, lui ai fait voir quelle facilité offrait la raison de la violence pour le faire casser, vos prérogatives du nom de père, et l'appui que vous donneraient auprès de la justice et votre droit, et votre

1. Mercenaire.
2. Massacrer.

argent, et vos amis. Enfin je l'ai tant tourné de tous les côtés qu'il a prêté l'oreille aux propositions que je lui ai faites d'ajuster l'affaire pour quelque somme ; et il donnera son consentement à rompre le mariage, pourvu que vous lui donniez de l'argent.

ARGANTE

Et qu'a-t-il demandé ?

SCAPIN

Oh ! d'abord, des choses par-dessus les maisons.

ARGANTE

Et quoi ?

SCAPIN

Des choses extravagantes.

ARGANTE

Mais encore ?

SCAPIN

Il ne parlait pas moins que de cinq ou six cents pistoles.

ARGANTE

Cinq ou six cents fièvres quartaines [1] qui le puissent serrer ! Se moque-t-il des gens ?

1. Fièvre quarte, qui revient tous les quatre jours.

SCAPIN

C'est ce que je lui ai dit. J'ai rejeté bien loin de pareilles propositions, et je lui ai bien fait entendre que vous n'étiez point une dupe, pour vous demander des cinq ou six cents pistoles. Enfin, après plusieurs discours, voici où s'est réduit le résultat de notre conférence. « Nous voilà au temps, m'a-t-il dit, que je dois partir pour l'armée. Je suis après à [1] m'équiper, et le besoin que j'ai de quelque argent me fait consentir, malgré moi, à ce qu'on me propose. Il me faut un cheval de service, et je n'en saurais avoir un qui soit tant soit peu raisonnable à moins de soixante pistoles. »

ARGANTE

Hé bien ! pour soixante pistoles, je les donne.

SCAPIN

« Il faudra le harnais et les pistolets ; et cela ira bien à vingt pistoles encore. »

ARGANTE

Vingt pistoles et soixante, ce serait quatre-vingts.

SCAPIN

Justement.

ARGANTE

C'est beaucoup ; mais soit, je consens à cela.

---

1. Occupé à, en train de.

SCAPIN

« Il me faut aussi un cheval pour monter mon
valet, qui coûtera bien trente pistoles. »

ARGANTE

Comment, diantre ! Qu'il se promène ! il n'aura
rien du tout.

SCAPIN

Monsieur.

ARGANTE

Non, c'est un impertinent.

SCAPIN

Voulez-vous que son valet aille à pied ?

ARGANTE

Qu'il aille comme il lui plaira, et le maître aussi.

SCAPIN

Mon Dieu ! Monsieur, ne vous arrêtez point à peu
de chose. N'allez point plaider, je vous prie, et donnez tout pour vous sauver des mains de la justice.

ARGANTE

Hé bien ! soit, je me résous à donner encore ces
trente pistoles.

SCAPIN

« Il me faut encore, a-t-il dit, un mulet pour porter... »

ARGANTE

Oh ! qu'il aille au diable avec son mulet ! C'en est trop, et nous irons devant les juges.

SCAPIN

De grâce, Monsieur...

ARGANTE

Non, je n'en ferai rien.

SCAPIN

Monsieur, un petit mulet.

ARGANTE

Je ne lui donnerais pas seulement un âne.

SCAPIN

Considérez...

ARGANTE

Non ! j'aime mieux plaider.

SCAPIN

Eh ! Monsieur, de quoi parlez-vous là, et à quoi vous résolvez-vous ? Jetez les yeux sur les détours de la justice ; voyez combien d'appels et de degrés de juridiction, combien de procédures embarrassantes, combien d'animaux ravissants [1] par les griffes desquels il vous faudra passer, sergents, procureurs, avocats, greffiers, substituts, rapporteurs, juges et leurs clercs. Il n'y a pas un de tous ces gens-là qui, pour la moindre chose, ne soit capable de donner un soufflet au meilleur droit du monde. Un sergent baillera de faux exploits, sur quoi vous serez condamné sans que vous le sachiez. Votre procureur s'entendra avec votre partie [2], et vous vendra à beaux deniers comptants. Votre avocat, gagné de même, ne se trouvera point lorsqu'on plaidera votre cause, ou dira des raisons qui ne feront que battre la campagne, et n'iront point au fait. Le greffier délivrera par contumace des sentences et arrêts contre vous. Le clerc du rapporteur soustraira des pièces, ou le rapporteur même ne dira pas ce qu'il a vu. Et quand, par les plus grandes précautions du monde, vous aurez paré tout cela, vous serez ébahi que vos juges auront été sollicités contre vous, ou par des gens dévots, ou par des femmes qu'ils aimeront. Eh ! Monsieur, si vous le pouvez, sauvez-vous de cet enfer-là. C'est être damné dès ce monde que d'avoir à plaider ; et la seule pensée d'un procès serait capable de me faire fuir jusqu'aux Indes.

ARGANTE

À combien est-ce qu'il fait monter le mulet ?

---

1. Du verbe ravir : s'emparer. Ce sont des prédateurs.
2. Ennemi.

SCAPIN

Monsieur, pour le mulet, pour son cheval et celui de son homme, pour le harnais et les pistolets, et pour payer quelque petite chose qu'il doit à son hôtesse, il demande en tout deux cents pistoles.

ARGANTE

Deux cents pistoles ?

SCAPIN

Oui.

ARGANTE,
se promenant en colère le long du théâtre.

Allons, allons, nous plaiderons.

SCAPIN

Faites réflexion...

ARGANTE

Je plaiderai.

SCAPIN

Ne vous allez point jeter...

ARGANTE

Je veux plaider.

SCAPIN

Mais, pour plaider, il vous faudra de l'argent : il vous en faudra pour l'exploit ; il vous en faudra pour le contrôle ; il vous en faudra pour la procuration, pour la présentation, conseils, productions, et journées du procureur ; il vous en faudra pour les consultations et plaidoiries des avocats, pour le droit de retirer le sac, et pour les grosses d'écritures [1] ; il vous en faudra pour le rapport des substituts, pour les épices de conclusion [2], pour l'enregistrement du greffier, façon d'appointement, sentences et arrêts, contrôles, signatures et expéditions de leurs clercs, sans parler de tous les présents qu'il vous faudra faire. Donnez cet argent-là à cet homme-ci, vous voilà hors d'affaire.

ARGANTE

Comment, deux cents pistoles ?

SCAPIN

Oui, vous y gagnerez. J'ai fait un petit calcul en moi-même de tous les frais de la justice ; et j'ai trouvé qu'en donnant deux cents pistoles à votre homme, vous en aurez de reste pour le moins cent cinquante, sans compter les soins, les pas, et les chagrins que vous épargnerez. Quand il n'y aurait à essuyer que les sottises que disent devant tout le monde de méchants plaisants d'avocats, j'aimerais mieux donner trois cents pistoles que de plaider.

---

1. Le sac contenait les pièces du procès. Les grosses : actes du dossier ; elles étaient copiées en grosse écriture.
2. À la fin du procès, la partie gagnante versait au juge des taxes (à l'origine, en nature).

ARGANTE

Je me moque de cela, et je défie les avocats de rien dire de moi.

SCAPIN

Vous ferez ce qu'il vous plaira ; mais si j'étais que de vous, je fuirais les procès.

ARGANTE

Je ne donnerai point deux cents pistoles.

SCAPIN

Voici l'homme dont il s'agit.

SCÈNE 6
Silvestre, Argante, Scapin.

SILVESTRE, *déguisé en spadassin.*

Scapin, fais-moi connaître un peu cet Argante, qui est père d'Octave.

SCAPIN

Pourquoi, Monsieur ?

SILVESTRE

Je viens d'apprendre qu'il veut me mettre en procès, et faire rompre par justice le mariage de ma sœur.

SCAPIN

Je ne sais pas s'il a cette pensée ; mais il ne veut point consentir aux deux cents pistoles que vous voulez, et il dit que c'est trop.

SILVESTRE

Par la mort ! par la tête ! par la ventre[1] ! si je le trouve, je le veux échiner, dussé-je être roué tout vif.

(Argante, pour n'être point vu, se tient, en tremblant, couvert de Scapin.)

SCAPIN

Monsieur, ce père d'Octave a du cœur, et peut-être ne vous craindra-t-il point.

SILVESTRE

Lui ? lui ? Par la sang ! par la tête ! s'il était là, je lui donnerais tout à l'heure de l'épée dans le ventre. *(Apercevant Argante.)* Qui est cet homme-là ?

SCAPIN

Ce n'est pas lui, Monsieur, ce n'est pas lui.

SILVESTRE

N'est-ce point quelqu'un de ses amis ?

1. Pour « par le ventre Dieu ».

SCAPIN

Non, Monsieur, au contraire, c'est son ennemi capital.

SILVESTRE

Son ennemi capital ?

SCAPIN

Oui.

SILVESTRE

Ah, parbleu ! j'en suis ravi. *(À Argante.)* Vous êtes ennemi, Monsieur, de ce faquin d'Argante, eh ?

SCAPIN

Oui, oui, je vous en réponds.

SILVESTRE, *lui prend rudement la main.*

Touchez là, touchez. Je vous donne ma parole, et vous jure sur mon honneur, par l'épée que je porte, par tous les serments que je saurais faire, qu'avant la fin du jour je vous déferai de ce maraud fieffé, de ce faquin d'Argante. Reposez-vous sur moi.

SCAPIN

Monsieur, les violences en ce pays-ci ne sont guère souffertes.

SILVESTRE

Je me moque de tout, et je n'ai rien à perdre.

SCAPIN

Il se tiendra sur ses gardes assurément ; et il a des parents, des amis et des domestiques, dont il se fera un secours contre votre ressentiment.

SILVESTRE

C'est ce que je demande, morbleu ! c'est ce que je demande. *(Il met l'épée à la main, et pousse de tous les côtés, comme s'il y avait plusieurs personnes devant lui.)* Ah, tête ! ah, ventre ! que ne le trouvé-je à cette heure avec tout son secours ! Que ne paraît-il à mes yeux au milieu de trente personnes ! Que ne les vois-je fondre sur moi les armes à la main ! Comment, marauds, vous avez la hardiesse de vous attaquer à moi ? Allons, morbleu ! tue, point de quartier. *(Poussant de tous les côtés, comme s'il avait plusieurs personnes à combattre.)* Donnons. Ferme. Poussons. Bon pied, bon œil. Ah ! coquins, ah ! canaille, vous en voulez par là ; je vous en ferai tâter votre soûl. Soutenez, marauds, soutenez. Allons. À cette botte. À cette autre. À celle-ci. À celle-là. *(Se tournant du côté d'Argante et de Scapin.)* Comment, vous reculez ? Pied ferme, morbleu ! pied ferme.

SCAPIN

Eh, eh, eh ! Monsieur, nous n'en sommes pas.

SILVESTRE

Voilà qui vous apprendra à vous oser jouer à moi. *(Il s'éloigne.)*

SCAPIN

Hé bien, vous voyez combien de personnes tuées pour deux cents pistoles. Oh sus ! je vous souhaite une bonne fortune.

ARGANTE, *tout tremblant.*

Scapin.

SCAPIN

Plaît-il ?

ARGANTE

Je me résous à donner les deux cents pistoles.

SCAPIN

J'en suis ravi pour l'amour de vous.

ARGANTE

Allons le trouver, je les ai sur moi.

SCAPIN

Vous n'avez qu'à me les donner. Il ne faut pas pour votre honneur que vous paraissiez là, après avoir passé ici pour autre que ce que vous êtes ; et, de plus, je craindrais qu'en vous faisant connaître, il n'allât s'aviser de vous demander davantage.

ARGANTE

Oui ; mais j'aurais été bien aise de voir comme je donne mon argent.

SCAPIN

Est-ce que vous vous défiez de moi ?

ARGANTE

Non pas, mais...

SCAPIN

Parbleu, Monsieur, je suis un fourbe ou je suis honnête homme : c'est l'un des deux. Est-ce que je voudrais vous tromper, et que dans tout ceci j'ai d'autre intérêt que le vôtre et celui de mon maître, à qui vous voulez vous allier ? Si je vous suis suspect, je ne me mêle plus de rien, et vous n'avez qu'à chercher, dès cette heure, qui accommodera vos affaires.

ARGANTE

Tiens donc.

SCAPIN

Non, Monsieur, ne me confiez point votre argent. Je serai bien aise que vous vous serviez de quelque autre.

ARGANTE

Mon Dieu ! tiens.

SCAPIN

Non, vous dis-je, ne vous fiez point à moi. Que sait-on si je ne veux point vous attraper votre argent ?

ARGANTE

Tiens, te dis-je, ne me fais point contester davantage. Mais songe à bien prendre tes sûretés avec lui.

SCAPIN

Laissez-moi faire, il n'a pas affaire à un sot.

ARGANTE

Je vais t'attendre chez moi.

SCAPIN

Je ne manquerai pas d'y aller. *(Seul.)* Et un. Je n'ai qu'à chercher l'autre. Ah, ma foi ! le voici. Il semble que le Ciel, l'un après l'autre, les amène dans mes filets.

SCÈNE 7
Géronte, Scapin.

SCAPIN, *feignant de ne pas voir Géronte.*

Ô Ciel ! ô disgrâce imprévue ! ô misérable père ! Pauvre Géronte, que feras-tu ?

GÉRONTE, *à part.*

Que dit-il là de moi, avec ce visage affligé ?

SCAPIN, *même jeu.*

N'y a-t-il personne qui puisse me dire où est le seigneur Géronte ?

GÉRONTE

Qu'y a-t-il, Scapin ?

SCAPIN, *courant sur le théâtre, sans vouloir entendre ni voir Géronte.*

Où pourrai-je le rencontrer, pour lui dire cette infortune ?

GÉRONTE, *courant après Scapin.*

Qu'est-ce que c'est donc ?

SCAPIN, *même jeu.*

En vain je cours de tous côtés pour le pouvoir trouver.

GÉRONTE

Me voici.

SCAPIN, *même jeu.*

Il faut qu'il soit caché en quelque endroit qu'on ne puisse point deviner.

GÉRONTE, *arrêtant Scapin.*

Holà ! es-tu aveugle, que tu ne me vois pas ?

SCAPIN

Ah ! Monsieur, il n'y a pas moyen de vous rencontrer.

GÉRONTE

Il y a une heure que je suis devant toi. Qu'est-ce que c'est donc qu'il y a ?

SCAPIN

Monsieur...

GÉRONTE

Quoi ?

SCAPIN

Monsieur, votre fils...

GÉRONTE

Hé bien ! mon fils...

SCAPIN

Est tombé dans une disgrâce la plus étrange du monde.

GÉRONTE

Et quelle ?

SCAPIN

Je l'ai trouvé tantôt tout triste de je ne sais quoi que vous lui avez dit, où vous m'avez mêlé assez mal à propos ; et, cherchant à divertir cette tristesse, nous nous sommes allés promener sur le port. Là, entre autres plusieurs choses, nous avons arrêté nos yeux sur une galère turque assez bien équipée. Un jeune Turc de bonne mine nous a invités d'y entrer, et nous a présenté la main. Nous y avons passé ; il nous a fait mille civilités, nous a donné la collation, où nous avons mangé des fruits les plus excellents qui se puissent voir, et bu du vin que nous avons trouvé le meilleur du monde.

GÉRONTE

Qu'y a-t-il de si affligeant à tout cela ?

SCAPIN

Attendez, Monsieur, nous y voici. Pendant que nous mangions, il a fait mettre la galère en mer, et, se voyant éloigné du port, il m'a fait mettre dans un esquif, et m'envoie vous dire que, si vous ne lui envoyez par moi tout à l'heure cinq cents écus, il va vous emmener votre fils en Alger.

GÉRONTE

Comment, diantre ! cinq cents écus ?

SCAPIN

Oui, Monsieur ; et, de plus, il ne m'a donné pour cela que deux heures.

GÉRONTE

Ah ! le pendard de Turc, m'assassiner de la façon !

SCAPIN

C'est à vous, Monsieur, d'aviser promptement aux moyens de sauver des fers un fils que vous aimez avec tant de tendresse.

GÉRONTE

Que diable allait-il faire dans cette galère ?

SCAPIN

Il ne songeait pas à ce qui est arrivé.

GÉRONTE

Va-t'en, Scapin, va-t'en vite dire à ce Turc que je vais envoyer la justice après lui.

SCAPIN

La justice en pleine mer ! Vous moquez-vous des gens ?

GÉRONTE

Que diable allait-il faire dans cette galère ?

SCAPIN

Une méchante destinée conduit quelquefois les personnes.

GÉRONTE

Il faut, Scapin, il faut que tu fasses ici l'action d'un serviteur fidèle.

SCAPIN

Quoi, Monsieur ?

GÉRONTE

Que tu ailles dire à ce Turc qu'il me renvoie mon

fils, et que tu te mettes à sa place jusqu'à ce que j'aie amassé la somme qu'il demande.

SCAPIN

Eh ! Monsieur, songez-vous à ce que vous dites ? et vous figurez-vous que ce Turc ait si peu de sens, que d'aller recevoir un misérable comme moi à la place de votre fils.

GÉRONTE

Que diable allait-il faire dans cette galère ?

SCAPIN

Il ne devinait pas ce malheur. Songez, Monsieur, qu'il ne m'a donné que deux heures.

GÉRONTE

Tu dis qu'il demande...

SCAPIN

Cinq cents écus.

GÉRONTE

Cinq cents écus ! N'a-t-il point de conscience ?

SCAPIN

Vraiment oui, de la conscience à un Turc !

GÉRONTE

Sait-il bien ce que c'est que cinq cents écus ?

SCAPIN

Oui, Monsieur, il sait que c'est mille cinq cents livres.

GÉRONTE

Croit-il, le traître, que mille cinq cents livres se trouvent dans le pas d'un cheval ?

SCAPIN

Ce sont des gens qui n'entendent point de raison.

GÉRONTE

Mais que diable allait-il faire à cette galère ?

SCAPIN

Il est vrai ; mais quoi ? on ne prévoyait pas les choses. De grâce, Monsieur, dépêchez.

GÉRONTE

Tiens, voilà la clef de mon armoire.

SCAPIN

Bon.

GÉRONTE

Tu l'ouvriras.

SCAPIN

Fort bien.

GÉRONTE

Tu trouveras une grosse clef du côté gauche, qui est celle de mon grenier.

SCAPIN

Oui.

GÉRONTE

Tu iras prendre toutes les hardes qui sont dans cette grande manne, et tu les vendras aux fripiers pour aller racheter mon fils.

SCAPIN, *en lui rendant la clef.*

Eh ! Monsieur, rêvez-vous ? Je n'aurais pas cent francs de tout ce que vous dites ; et, de plus, vous savez le peu de temps qu'on m'a donné.

GÉRONTE

Mais que diable allait-il faire à cette galère ?

SCAPIN

Oh ! que de paroles perdues ! Laissez là cette galère, et songez que le temps presse, et que vous courez risque de perdre votre fils. Hélas ! mon pauvre maître, peut-être que je ne te verrai de ma vie, et qu'à l'heure que je parle, on t'emmène esclave en Alger. Mais le Ciel me sera témoin que j'ai fait pour toi tout ce que j'ai pu, et que si tu manques à être racheté, il n'en faut accuser que le peu d'amitié d'un père.

GÉRONTE

Attends, Scapin, je m'en vais quérir cette somme.

SCAPIN

Dépêchez-vous donc vite, Monsieur, je tremble
que l'heure ne sonne.

GÉRONTE

N'est-ce pas quatre cents écus que tu dis ?

SCAPIN

Non, cinq cents écus.

GÉRONTE

Cinq cents écus ?

SCAPIN

Oui.

GÉRONTE

Que diable allait-il faire à cette galère ?

SCAPIN

Vous avez raison. Mais hâtez-vous.

GÉRONTE

N'y avait-il point d'autre promenade ?

SCAPIN

Cela est vrai. Mais faites promptement.

GÉRONTE

Ah, maudite galère !

SCAPIN, *à part.*

Cette galère lui tient au cœur.

GÉRONTE

Tiens, Scapin, je ne me souvenais pas que je viens justement de recevoir cette somme en or, et je ne croyais pas qu'elle dût m'être si tôt ravie. *(Il lui présente sa bourse, qu'il ne laisse pourtant pas aller ; et, dans ses transports, il fait aller son bras de côté et d'autre, et Scapin le sien pour avoir la bourse.)* Tiens ! Va-t'en racheter mon fils.

SCAPIN, *tendant la main.*

Oui, Monsieur.

GÉRONTE, *retenant la bourse qu'il fait semblant de vouloir donner à Scapin.*

Mais dis à ce Turc que c'est un scélérat.

SCAPIN, *tendant toujours la main.*

Oui.

GÉRONTE, *même jeu.*

Un infâme.

SCAPIN

Oui.

GÉRONTE, *même jeu*.

Un homme sans foi, un voleur.

SCAPIN

Laissez-moi faire.

GÉRONTE, *même jeu*.

Qu'il me tire cinq cents écus contre toute sorte de droit.

SCAPIN

Oui.

GÉRONTE, *même jeu*.

Que je ne les lui donne ni à la mort ni à la vie.

SCAPIN

Fort bien.

GÉRONTE

Et que, si jamais je l'attrape, je saurai me venger de lui.

SCAPIN

Oui.

GÉRONTE,
remet la bourse dans sa poche et s'en va.

Va, va vite requérir mon fils.

SCAPIN, *allant après lui*.

Holà ! Monsieur.

GÉRONTE

Quoi ?

SCAPIN

Où est donc cet argent ?

GÉRONTE

Ne te l'ai-je pas donné ?

SCAPIN

Non, vraiment, vous l'avez remis dans votre poche.

GÉRONTE

Ah ! c'est la douleur qui me trouble l'esprit.

SCAPIN

Je le vois bien.

GÉRONTE

Que diable allait-il faire dans cette galère ! Ah, maudite galère ! traître de Turc à tous les diables !

SCAPIN, *seul*.

Il ne peut digérer les cinq cents écus que je lui arrache ; mais il n'est pas quitte envers moi, et je veux qu'il me paie en une autre monnaie l'imposture qu'il m'a faite auprès de son fils.

SCÈNE 8
Octave, Léandre, Scapin.

OCTAVE

Hé bien ! Scapin, as-tu réussi pour moi dans ton entreprise ?

LÉANDRE

As-tu fait quelque chose pour tirer mon amour de la peine où il est ?

SCAPIN, *à Octave.*

Voilà deux cents pistoles que j'ai tirées de votre père.

OCTAVE

Ah ! que tu me donnes de joie !

SCAPIN, *à Léandre.*

Pour vous, je n'ai pu faire rien.

LÉANDRE, *veut s'en aller.*

Il faut donc que j'aille mourir ; et je n'ai que faire de vivre, si Zerbinette m'est ôtée.

SCAPIN

Holà, holà ! tout doucement. Comme diantre vous allez vite !

LÉANDRE, *se retourne.*

Que veux-tu que je devienne ?

SCAPIN

Allez, j'ai votre affaire ici.

LÉANDRE, *revient.*

Ah ! tu me redonnes la vie.

SCAPIN

Mais à condition que vous me permettrez à moi une petite vengeance contre votre père, pour le tour qu'il m'a fait.

LÉANDRE

Tout ce que tu voudras.

SCAPIN

Vous me le promettez devant témoin ?

LÉANDRE

Oui.

SCAPIN

Tenez, voilà cinq cents écus.

LÉANDRE

Allons-en promptement acheter celle que j'adore.

ACTE III

SCÈNE 1
Zerbinette, Hyacinte, Scapin, Silvestre.

SILVESTRE

Oui, vos amants ont arrêté entre eux que vous fussiez ensemble ; et nous nous acquittons de l'ordre qu'ils nous ont donné.

HYACINTE, *à Zerbinette.*

Un tel ordre n'a rien qui ne me soit fort agréable. Je reçois avec joie une compagne de la sorte ; et il ne tiendra pas à moi que l'amitié qui est entre les personnes que nous aimons ne se répande entre nous deux.

ZERBINETTE

J'accepte la proposition, et ne suis point personne à reculer lorsqu'on m'attaque d'amitié.

SCAPIN

Et lorsque c'est d'amour qu'on vous attaque ?

ZERBINETTE

Pour l'amour, c'est une autre chose : on y court
un peu plus de risque, et je n'y suis pas si hardie.

SCAPIN

Vous l'êtes, que je crois, contre mon maître maintenant ; et ce qu'il vient de faire pour vous doit vous
donner du cœur pour répondre comme il faut à sa
passion.

ZERBINETTE

Je ne m'y fie encore que de la bonne sorte ; et ce
n'est pas assez pour m'assurer entièrement, que ce
qu'il vient de faire. J'ai l'humeur enjouée, et sans
cesse je ris ; mais, tout en riant, je suis sérieuse sur
de certains chapitres ; et ton maître s'abusera, s'il croit
qu'il lui suffise de m'avoir achetée pour me voir toute
à lui. Il doit lui en coûter autre chose que de l'argent ;
et, pour répondre à son amour de la manière qu'il
souhaite, il me faut un don de sa foi qui soit assaisonné
de certaines cérémonies qu'on trouve nécessaires.

SCAPIN

C'est là aussi comme il l'entend. Il ne prétend à
vous qu'en tout bien et en tout honneur ; et je
n'aurais pas été homme à me mêler de cette affaire,
s'il avait une autre pensée.

ZERBINETTE

C'est ce que je veux croire, puisque vous me le
dites ; mais du côté du père, j'y prévois des
empêchements.

SCAPIN

Nous trouverons moyen d'accommoder les choses.

HYACINTE, *à Zerbinette.*

La ressemblance de nos destins doit contribuer encore à faire naître notre amitié ; et nous nous voyons toutes deux dans les mêmes alarmes, toutes deux exposées à la même infortune.

ZERBINETTE

Vous avez cet avantage, au moins, que vous savez de qui vous êtes née, et que l'appui de vos parents, que vous pouvez faire connaître, est capable d'ajuster tout, peut assurer votre bonheur, et faire donner un consentement au mariage qu'on trouve fait. Mais pour moi, je ne rencontre aucun secours dans ce que je puis être, et l'on me voit dans un état qui n'adoucira pas les volontés d'un père qui ne regarde que le bien.

HYACINTE

Mais aussi avez-vous cet avantage, que l'on ne tente point par un autre parti celui que vous aimez.

ZERBINETTE

Le changement du cœur d'un amant n'est pas ce qu'on peut le plus craindre. On se peut naturellement croire assez de mérite pour garder sa conquête ; et ce que je vois de plus redoutable dans ces sortes d'affaires, c'est la puissance paternelle, auprès de qui tout le mérite ne sert de rien.

HYACINTE

Hélas ! pourquoi faut-il que de justes inclinations se trouvent traversées[1] ? La douce chose que d'aimer, lorsque l'on ne voit point d'obstacle à ces aimables chaînes dont deux cœurs se lient ensemble !

SCAPIN

Vous vous moquez : la tranquillité en amour est un calme désagréable ; un bonheur tout uni nous devient ennuyeux ; il faut du haut et du bas dans la vie ; et les difficultés qui se mêlent aux choses réveillent les ardeurs, augmentent les plaisirs.

ZERBINETTE

Mon Dieu, Scapin, fais-nous un peu ce récit, qu'on m'a dit qui est si plaisant, du stratagème dont tu t'es avisé pour tirer de l'argent de ton vieillard avare. Tu sais qu'on ne perd point sa peine lorsqu'on me fait un conte, et que je le paie assez bien par la joie qu'on m'y voit prendre.

SCAPIN

Voilà Silvestre qui s'en acquittera aussi bien que moi. J'ai dans la tête certaine petite vengeance, dont je vais goûter le plaisir.

SILVESTRE

Pourquoi, de gaieté de cœur, veux-tu chercher à t'attirer de méchantes affaires ?

1. Contrariées.

SCAPIN

Je me plais à tenter des entreprises hasardeuses.

SILVESTRE

Je te l'ai déjà dit, tu quitterais le dessein que tu
as, si tu m'en voulais croire.

SCAPIN

Oui, mais c'est moi que j'en croirai.

SILVESTRE

À quoi diable te vas-tu amuser ?

SCAPIN

De quoi diable te mets-tu en peine ?

SILVESTRE

C'est que je vois que sans nécessité tu vas courir
risque de t'attirer une venue de coups de bâton.

SCAPIN

Hé bien ! c'est aux dépens de mon dos, et non pas
du tien.

SILVESTRE

Il est vrai que tu es maître de tes épaules, et tu en
disposeras comme il te plaira.

SCAPIN

Ces sortes de périls ne m'ont jamais arrêté, et je
hais ces cœurs pusillanimes qui, pour trop prévoir
les suites des choses, n'osent rien entreprendre.

ZERBINETTE, *à Scapin.*

Nous aurons besoin de tes soins.

SCAPIN

Allez ; je vous irai bientôt rejoindre. Il ne sera pas dit qu'impunément on m'ait mis en état de me trahir moi-même, et de découvrir des secrets qu'il était bon qu'on ne sût pas.

SCÈNE 2
Géronte, Scapin.

GÉRONTE

Hé bien, Scapin, comment va l'affaire de mon fils ?

SCAPIN

Votre fils, Monsieur, est en lieu de sûreté ; mais vous courez maintenant, vous, le péril le plus grand du monde, et je voudrais pour beaucoup que vous fussiez dans votre logis.

GÉRONTE

Comment donc ?

SCAPIN

À l'heure que je parle, on vous cherche de toutes parts pour vous tuer.

GÉRONTE

Moi ?

SCAPIN

Oui.

GÉRONTE

Et qui ?

SCAPIN

Le frère de cette personne qu'Octave a épousée. Il croit que le dessein que vous avez de mettre votre fille à la place que tient sa sœur est ce qui pousse le plus fort à faire rompre leur mariage ; et, dans cette pensée, il a résolu hautement de décharger son désespoir sur vous et vous ôter la vie pour venger son honneur. Tous ses amis, gens d'épée comme lui, vous cherchent de tous les côtés, et demandent de vos nouvelles. J'ai vu même deçà et delà des soldats de sa compagnie qui interrogent ceux qu'ils trouvent, et occupent par pelotons toutes les avenues de votre maison. De sorte que vous ne sauriez aller chez vous, vous ne sauriez faire un pas ni à droit, ni à gauche, que vous ne tombiez dans leurs mains.

GÉRONTE

Que ferai-je, mon pauvre Scapin ?

SCAPIN

Je ne sais pas, Monsieur, et voici une étrange affaire. Je tremble pour vous depuis les pieds jusqu'à la tête, et... Attendez. *(Il se retourne, et fait semblant d'aller voir au bout du théâtre s'il n'y a personne.)*

GÉRONTE, *en tremblant.*

Eh ?

SCAPIN, *en revenant.*

Non, non, non, ce n'est rien.

GÉRONTE

Ne saurais-tu trouver quelque moyen pour me tirer de peine ?

SCAPIN

J'en imagine bien un ; mais je courrais risque, moi, de me faire assommer.

GÉRONTE

Eh ! Scapin, montre-toi serviteur zélé ; ne m'abandonne pas, je te prie.

SCAPIN

Je le veux bien. J'ai une tendresse pour vous qui ne saurait souffrir que je vous laisse sans secours.

GÉRONTE

Tu en seras récompensé, je t'assure ; et je te promets cet habit-ci, quand je l'aurai un peu usé.

SCAPIN

Attendez. Voici une affaire que je me suis trouvée fort à propos pour vous sauver. Il faut que vous vous mettiez dans ce sac, et que...

GÉRONTE, *croyant voir quelqu'un.*

Ah !

SCAPIN

Non, non, non, non, ce n'est personne. Il faut, dis-je, que vous vous mettiez là dedans, et que vous gardiez de remuer en aucune façon. Je vous chargerai sur mon dos, comme un paquet de quelque chose, et je vous porterai ainsi, au travers de vos ennemis, jusque dans votre maison, où, quand nous serons une fois, nous pourrons nous barricader, et envoyer quérir main-forte contre la violence.

GÉRONTE

L'invention est bonne.

SCAPIN

La meilleure du monde. Vous allez voir. *(À part.)* Tu me paieras l'imposture.

GÉRONTE

Eh ?

SCAPIN

Je dis que vos ennemis seront bien attrapés. Mettez-vous bien jusqu'au fond, et surtout prenez garde de ne vous point montrer, et de ne branler pas, quelque chose qui puisse arriver.

GÉRONTE

Laisse-moi faire. Je saurai me tenir...

SCAPIN

Cachez-vous : voici un spadassin qui vous cherche. *(En contrefaisant sa voix.)* « Quoi ! jé n'aurai pas l'abantage dé tuer cé Géronte et quelqu'un par charité né m'enseignera pas où il est ? » *(À Géronte, de sa voix ordinaire.)* Ne branlez pas. *(Reprenant son ton contrefait.)* « Cadédis ! jé lé trouberai, sé cachât-il au centre dé la terre. » *(À Géronte, avec son ton naturel.)* Ne vous montrez pas. *(Tout le langage gascon est supposé de celui qu'il contrefait, et le reste de lui.)* « Oh, l'homme au sac ! – Monsieur. – Jé té vaille un louis, et m'enseigne où put être Géronte. – Vous cherchez le seigneur Géronte ? – Oui, mordi ! jé lé cherche. – Et pour quelle affaire, Monsieur ? – Pour quelle affaire ? – Oui. – Jé beux, cadédis ! lé faire mourir sous les coups de vaton. – Oh ! Monsieur, les coups de bâton ne se donnent point à des gens comme lui, et ce n'est pas un homme à être traité de la sorte. – Qui, cé fat dé Géronte, cé maraud, cé vélître ? – Le seigneur Géronte, Monsieur, n'est ni fat, ni maraud, ni bélître, et vous devriez, s'il vous plaît, parler d'autre façon. – Comment, tu mé traites, à moi, avec cette hautur ? – Je défends, comme je dois, un homme d'honneur qu'on offense. – Est-ce que tu es des amis dé cé Géronte ? – Oui, monsieur, j'en suis. – Ah ! cadédis ! tu es de ses amis, à la vonne hure ! *(Il donne plusieurs coups de bâton sur le sac.)* Tiens ! Boilà cé que jé té vaille pour lui. – Ah, ah, ah, ah, Monsieur ! Ah, ah, Monsieur ! tout beau ! Ah, doucement, ah, ah, ah ! – Va, porte-lui cela de ma part. Adiusias ! » Ah ! diable soit le Gascon ! Ah ! *(En se plaignant et remuant le dos, comme s'il avait reçu les coups de bâton.)*

GÉRONTE, *mettant la tête hors du sac.*

Ah ! Scapin, je n'en puis plus.

SCAPIN

Ah ! Monsieur, je suis tout moulu, et les épaules me font un mal épouvantable.

GÉRONTE

Comment ? c'est sur les miennes qu'il a frappé.

SCAPIN

Nenni, Monsieur, c'était sur mon dos qu'il frappait.

GÉRONTE

Que veux-tu dire ? J'ai bien senti les coups, et les sens bien encore.

SCAPIN

Non, vous dis-je, ce n'était que le bout du bâton qui a été jusque sur vos épaules.

GÉRONTE

Tu devais donc te retirer un peu plus loin, pour m'épargner...

SCAPIN, *lui remet la tête dans le sac.*

Prenez garde. En voici un autre qui a la mine d'un étranger. *(Cet endroit est de même celui du Gascon pour le changement de langage, et le jeu de théâtre.)* « Parti ! moi courir comme une Basque, et moi ne pouvre point troufair de tout le jour sti tiable de Gironte ? » *(À Géronte, avec sa voix ordinaire.)* Cachez-vous bien. « Dites-moi un peu fous, Monsir l'homme, s'il ve plaît, fous savoir point où l'est sti Gironte que moi cherchair ? – Non, Monsieur, je ne sais point où est Géronte. – Dites-moi-le fous frenchemente, moi li fouloir pas grande chose à lui. L'est seulemente pou li donnait un petite régale sur le dos d'une douzaine de coups de bâtonne, et de trois ou quatre petites coups d'épée au trafers de son poitrine. – Je vous assure, Monsieur, que je ne sais pas où il est. – Il me semble que j'y fois remuair quelque chose dans sti sac. – Pardonnez-moi, Monsieur. – Li est assurémente quelque histoire là-tetans. – Point du tout, Monsieur. – Moi l'avoir enfie de tonner ain coup d'épée dans ste sac. – Ah ! Monsieur, gardez-vous-en bien. – Montre-le-moi un peu fous ce que c'être là. – Tout beau ! Monsieur. – Quement, tout beau ? – Vous n'avez que faire de vouloir voir ce que je porte. – Et moi, je le fouloir foir, moi. – Vous ne le verrez point. – Ahi, que de badinemente ! – Ce sont hardes qui m'appartiennent. – Montre-moi fous, te dis-je. – Je n'en ferai rien. – Toi ne faire rien ? – Non. – Moi pailler de ste bâtonne dessus les épaules de toi. – Je me moque de cela. – Ah ! toi faire le trole ! *(Donnant des coups de bâton sur le sac et criant comme s'il les recevait.)* – Ahi, ahi, ahi ! Ah, Monsieur, ah, ah, ah, ah ! – Jusqu'au refoir. L'être là un petit leçon pour li apprendre à toi à parlair insolentemente. » Ah ! peste soit du baragouineux ! Ah !

GÉRONTE, *sortant sa tête du sac.*

Ah ! je suis roué.

SCAPIN

Ah ! je suis mort.

GÉRONTE

Pourquoi diantre faut-il qu'ils frappent sur mon dos ?

SCAPIN, *lui remettant sa tête dans le sac.*

Prenez garde, voici une demi-douzaine de soldats tout ensemble. *(Il contrefait plusieurs personnes ensemble.)* « Allons, tâchons à trouver ce Géronte, cherchons partout. N'épargnons point nos pas. Courons toute la ville. N'oublions aucun lieu. Visitons tout. Furetons de tous les côtés. Par où irons-nous ? Tournons par là. Non, par ici. À gauche. À droit. Nenni. Si fait. » *(À Géronte, avec sa voix ordinaire.)* Cachez-vous bien. « Ah ! camarades, voici son valet. Allons, coquin, il faut que tu nous enseignes où est ton maître. – Eh ! Messieurs, ne me maltraitez point. – Allons, dis-nous où il est. Parle. Hâte-toi. Expédions. Dépêche vite. Tôt. – Eh ! Messieurs, doucement. *(Géronte met doucement la tête hors du sac et aperçoit la fourberie de Scapin.)* – Si tu ne nous fais trouver ton maître tout à l'heure, nous allons faire pleuvoir sur toi une ondée de coups de bâton. – J'aime mieux souffrir toute chose que de vous découvrir mon maître. – Nous allons t'assommer. – Faites tout ce qu'il vous plaira. – Tu as envie d'être battu ? – Je ne trahirai point mon maître. – Ah ! tu en veux tâter ? Voilà... » Oh ! *(Comme il est prêt de frapper, Géronte sort du sac et Scapin s'enfuit.)*

GÉRONTE

Ah, infâme ! Ah, traître ! Ah, scélérat ! C'est ainsi que tu m'assassines !

SCÈNE 3
Zerbinette, Géronte.

ZERBINETTE, *en riant, sans voir Géronte.*

Ah, ah, je veux prendre un peu l'air.

GÉRONTE, *se croyant seul.*

Tu me le paieras, je te jure.

ZERBINETTE, *sans voir Géronte.*

Ah, ah, ah, ah, la plaisante histoire ! et la bonne dupe que ce vieillard !

GÉRONTE

Il n'y a rien de plaisant à cela, et vous n'avez que faire d'en rire.

ZERBINETTE

Quoi ? que voulez-vous dire, Monsieur ?

GÉRONTE

Je veux dire que vous ne devez pas vous moquer de moi.

ZERBINETTE

De vous ?

GÉRONTE

Oui.

ZERBINETTE

Comment ? qui songe à se moquer de vous ?

GÉRONTE

Pourquoi venez-vous ici me rire au nez ?

ZERBINETTE

Cela ne vous regarde point, et je ris toute seule d'un conte qu'on vient de me faire, le plus plaisant qu'on puisse entendre. Je ne sais pas si c'est parce que je suis intéressée dans la chose, mais je n'ai jamais trouvé rien de si drôle qu'un tour qui vient d'être joué par un fils à son père, pour en attraper de l'argent.

GÉRONTE

Par un fils à son père, pour en attraper de l'argent ?

ZERBINETTE

Oui. Pour peu que vous me pressiez, vous me trouverez assez disposée à vous dire l'affaire, et j'ai

une démangeaison naturelle à faire part des contes
que je sais.

GÉRONTE

Je vous prie de me dire cette histoire.

ZERBINETTE

Je le veux bien. Je ne risquerai pas grand-chose à
vous la dire, et c'est une aventure qui n'est pas pour
être longtemps secrète. La destinée a voulu que je me
trouvasse parmi une bande de ces personnes qu'on
appelle Égyptiens, et qui, rôdant de province en
province, se mêlent de dire la bonne fortune, et
quelquefois de beaucoup d'autres choses. En arrivant
dans cette ville, un jeune homme me vit et conçut
pour moi de l'amour. Dès ce moment, il s'attache à
mes pas, et le voilà d'abord comme tous les jeunes
gens, qui croient qu'il n'y a qu'à parler, et qu'au
moindre mot qu'ils nous disent, leurs affaires sont
faites ; mais il trouva une fierté qui lui fit un peu
corriger ses premières pensées. Il fit connaître sa
passion aux gens qui me tenaient, et il les trouva dis-
posés à me laisser à lui moyennant quelque somme.
Mais le mal de l'affaire était que mon amant se
trouvait dans l'état où l'on voit très souvent la plupart
des fils de famille, c'est-à-dire qu'il était un peu
dénué d'argent ; et il a un père qui, quoique riche,
est un avaricieux fieffé, le plus vilain homme du
monde. Attendez. Ne me saurais-je souvenir de son
nom ? Hai ! Aidez-moi un peu. Ne pouvez-vous me
nommer quelqu'un de cette ville qui soit connu pour
être avare au dernier point ?

GÉRONTE

Non.

ZERBINETTE

Il y a à son nom du ron... ronte. Or... Oronte. Non. Gé... Géronte. Oui, Géronte, justement ; voilà mon vilain, je l'ai trouvé, c'est ce ladre-là que je dis. Pour venir à notre conte, nos gens ont voulu aujourd'hui partir de cette ville ; et mon amant m'allait perdre faute d'argent, si, pour en tirer de son père, il n'avait trouvé du secours dans l'industrie d'un serviteur qu'il a. Pour le nom du serviteur, je le sais à merveille : il s'appelle Scapin ; c'est un homme incomparable, et il mérite toutes les louanges qu'on peut donner.

GÉRONTE, *à part.*

Ah ! coquin que tu es !

ZERBINETTE

Voici le stratagème dont il s'est servi pour attraper sa dupe. Ah, ah, ah, ah ! Je ne saurais m'en souvenir que je ne rie de tout mon cœur. Ah, ah, ah ! Il est allé trouver ce chien d'avare, ah, ah, ah, et lui a dit qu'en se promenant sur le port avec son fils, hi, hi, ils avaient vu une galère turque où on les avait invités d'entrer ; qu'un jeune Turc leur y avait donné la collation, ah, que, tandis qu'ils mangeaient, on avait mis la galère en mer ; et que le Turc l'avait renvoyé, lui seul, à terre dans un esquif, avec ordre de dire au père de son maître qu'il emmenait son fils en Alger, s'il ne lui envoyait tout à l'heure cinq cents écus. Ah, ah, ah ! Voilà mon ladre, mon vilain dans de furieuses angoisses et la tendresse qu'il a pour son fils fait un combat étrange avec son avarice. Cinq cents écus qu'on lui demande sont justement cinq cents coups de poignard qu'on lui donne. Ah, ah, ah ! Il ne peut se résoudre à tirer cette somme de ses entrailles ; et la peine qu'il souffre lui fait trouver cent moyens ridicules pour ravoir son fils. Ah, ah, ah ! Il veut envoyer la justice en mer après la galère du Turc. Ah, ah, ah ! Il sollicite son valet de s'aller offrir à tenir la place de son fils, jusqu'à ce qu'il ait amassé l'argent qu'il n'a pas envie de donner. Ah, ah, ah ! Il abandonne, pour faire les cinq cents écus, quatre ou cinq vieux habits qui n'en valent pas trente. Ah, ah, ah ! Le valet lui fait comprendre, à tous coups, l'impertinence de ses propositions, et chaque réflexion est douloureusement accompagnée d'un : « Mais que diable allait-il faire à cette galère ? Ah ! maudite galère ! Traître de Turc ! » Enfin, après plusieurs détours, après avoir longtemps gémi et soupiré... Mais il me semble que vous ne riez point de mon conte. Qu'en dites-vous ?

GÉRONTE

Je dis que le jeune homme est un pendard, un insolent, qui sera puni par son père du tour qu'il lui a fait ; que l'Égyptienne est une malavisée, une impertinente, de dire des injures à un homme d'honneur qui saura lui apprendre à venir ici débaucher les enfants de famille ; et que le valet est un scélérat, qui sera par Géronte envoyé au gibet avant qu'il soit demain.

SCÈNE 4
Silvestre, Zerbinette.

SILVESTRE

Où est-ce donc que vous vous échappez ? Savez-vous bien que vous venez de parler là au père de votre amant ?

ZERBINETTE

Je viens de m'en douter et je me suis adressée à lui-même sans y penser, pour lui conter son histoire.

SILVESTRE

Comment, son histoire ?

ZERBINETTE

Oui, j'étais toute remplie du conte, et je brûlais de le redire. Mais qu'importe ? Tant pis pour lui. Je ne vois pas que les choses pour nous en puissent être ni pis ni mieux.

SILVESTRE

Vous aviez grande envie de babiller ; et c'est avoir bien de la langue que de ne pouvoir se taire de ses propres affaires.

ZERBINETTE

N'aurait-il pas appris cela de quelque autre ?

SCÈNE 5
Argante, Silvestre.

ARGANTE

Holà ! Silvestre.

SILVESTRE, *à Zerbinette.*

Rentrez dans la maison. Voilà mon maître qui m'appelle.

ARGANTE

Vous vous êtes donc accordés, coquin ; vous vous êtes accordés, Scapin, vous et mon fils, pour me fourber, et vous croyez que je l'endure ?

SILVESTRE

Ma foi, Monsieur, si Scapin vous fourbe, je m'en lave les mains, et vous assure que je n'y trempe en aucune façon.

ARGANTE

Nous verrons cette affaire, pendard, nous verrons cette affaire, et je ne prétends pas qu'on me fasse passer la plume par le bec [1].

---

1. Comme pour les oies que l'on empêchait ainsi de passer à travers les haies.

SCÈNE 6
Géronte, Argante, Silvestre.

GÉRONTE

Ah ! seigneur Argante, vous me voyez accablé de disgrâce.

ARGANTE

Vous me voyez aussi dans un accablement horrible.

GÉRONTE

Le pendard de Scapin, par une fourberie, m'a attrapé cinq cents écus.

ARGANTE

Le même pendard de Scapin, par une fourberie aussi, m'a attrapé deux cents pistoles.

GÉRONTE

Il ne s'est pas contenté de m'attraper cinq cents écus, il m'a traité d'une manière que j'ai honte de dire. Mais il me la paiera.

ARGANTE

Je veux qu'il me fasse raison de la pièce qu'il m'a jouée.

GÉRONTE

Et je prétends faire de lui une vengeance exemplaire.

SILVESTRE, *à part.*

Plaise au Ciel que dans tout ceci je n'aie point ma part !

GÉRONTE

Mais ce n'est pas encore tout, seigneur Argante, et un malheur nous est toujours l'avant-coureur d'un autre. Je me réjouissais aujourd'hui de l'espérance d'avoir ma fille, dont je faisais toute ma consolation ; et je viens d'apprendre de mon homme qu'elle est partie, il y a longtemps, de Tarente, et qu'on y croit qu'elle a péri dans le vaisseau où elle s'embarqua.

ARGANTE

Mais pourquoi, s'il vous plaît, la tenir à Tarente, et ne vous être pas donné la joie de l'avoir avec vous ?

GÉRONTE

J'ai eu mes raisons pour cela ; et des intérêts de famille m'ont obligé jusques ici à tenir fort secret ce second mariage. Mais que vois-je ?

SCÈNE 7
Nérine, Argante, Géronte, Silvestre.

GÉRONTE

Ah ! te voilà, Nourrice ?

NÉRINE, *se jetant à ses genoux.*

Ah ! seigneur Pandolphe, que...

GÉRONTE

Appelle-moi Géronte, et ne te sers plus de ce nom. Les raisons ont cessé, qui m'avaient obligé à le prendre parmi vous à Tarente.

NÉRINE

Las ! que ce changement de nom nous a causé de troubles et d'inquiétudes dans les soins que nous avons pris de vous venir chercher ici !

GÉRONTE

Où est ma fille, et sa mère ?

NÉRINE

Votre fille, Monsieur, n'est pas loin d'ici. Mais avant que de vous la faire voir, il faut que je vous demande pardon de l'avoir mariée, dans l'abandonnement où, faute de vous rencontrer, je me suis trouvée avec elle.

GÉRONTE

Ma fille mariée !

NÉRINE

Oui, Monsieur.

GÉRONTE

Et avec qui ?

NÉRINE

Avec un jeune homme nommé Octave, fils d'un certain seigneur Argante.

GÉRONTE

Ô Ciel !

ARGANTE

Quelle rencontre !

GÉRONTE

Mène-nous, mène-nous, promptement où elle est.

NÉRINE

Vous n'avez qu'à entrer dans ce logis.

GÉRONTE

Passe devant. Suivez-moi, suivez-moi, seigneur Argante.

SILVESTRE

Voilà une aventure qui est tout à fait surprenante !

SCÈNE 8
Scapin, Silvestre.

SCAPIN

Hé bien ! Silvestre, que font nos gens ?

SILVESTRE

J'ai deux avis à te donner. L'un, que l'affaire d'Octave est accommodée. Notre Hyacinte s'est trouvée la fille du seigneur Géronte ; et le hasard a fait ce que la prudence des pères avait délibéré. L'autre avis, c'est que les deux vieillards font contre toi des menaces épouvantables, et surtout le seigneur Géronte.

SCAPIN

Cela n'est rien. Les menaces ne m'ont jamais fait mal ; et ce sont des nuées qui passent bien loin sur nos têtes.

SILVESTRE

Prends garde à toi : les fils se pourraient bien raccommoder avec les pères, et toi demeurer dans la nasse.

SCAPIN

Laisse-moi faire, je trouverai moyen d'apaiser leur courroux, et...

SILVESTRE

Retire-toi, les voilà qui sortent.

SCÈNE 9
Géronte, Argante, Silvestre, Nérine, Hyacinte.

GÉRONTE

Allons, ma fille, venez chez moi. Ma joie aurait été parfaite, si j'y avais pu voir votre mère avec vous.

ARGANTE

Voici Octave, tout à propos.

SCÈNE 10
Octave, Argante, Géronte, Hyacinte, Nérine,
Zerbinette, Silvestre.

ARGANTE

Venez, mon fils, venez vous réjouir avec nous de l'heureuse aventure de votre mariage. Le Ciel...

OCTAVE, *sans voir Hyacinte.*

Non, mon père, toutes vos propositions de mariage ne serviront de rien. Je dois lever le masque avec vous, et l'on vous a dit mon engagement.

ARGANTE

Oui ; mais tu ne sais pas...

OCTAVE

Je sais tout ce qu'il faut savoir.

ARGANTE

Je veux te dire que la fille du seigneur Géronte...

OCTAVE

La fille du seigneur Géronte ne me sera jamais de rien.

GÉRONTE

C'est elle...

OCTAVE, *à Géronte.*

Non, Monsieur ; je vous demande pardon, mes résolutions sont prises.

SILVESTRE, *à Octave.*

Écoutez...

OCTAVE

Non, tais-toi, je n'écoute rien.

ARGANTE, *à Octave.*

Ta femme...

OCTAVE

Non, vous dis-je, mon père, je mourrai plutôt que de quitter mon aimable Hyacinte. *(Traversant le théâtre pour aller à elle.)* Oui, vous avez beau faire, la voilà, celle à qui ma foi est engagée ; je l'aimerai toute ma vie, et je ne veux point d'autre femme...

ARGANTE

Hé bien ! c'est elle qu'on te donne. Quel diable d'étourdi, qui suit toujours sa pointe [1] !

HYACINTE, *montrant Géronte.*

Oui, Octave, voilà mon père que j'ai trouvé, et nous nous voyons hors de peine.

GÉRONTE

Allons chez moi : nous serons mieux qu'ici pour nous entretenir.

HYACINTE, *montrant Zerbinette.*

Ah ! mon père, je vous demande par grâce que je ne sois point séparée de l'aimable personne que vous voyez, elle a un mérite qui vous fera concevoir de l'estime pour elle, quand il sera connu de vous.

GÉRONTE

Tu veux que je tienne chez moi une personne qui est aimée de ton frère, et qui m'a dit tantôt au nez mille sottises de moi-même ?

ZERBINETTE

Monsieur, je vous prie de m'excuser. Je n'aurais pas parlé de la sorte, si j'avais su que c'était vous, et je ne vous connaissais que de réputation.

---

1. Son idée, avec entêtement.

GÉRONTE

Comment, que de réputation ?

HYACINTE

Mon père, la passion que mon frère a pour elle n'a rien de criminel, et je réponds de sa vertu.

GÉRONTE

Voilà qui est fort bien. Ne voudrait-on point que je mariasse mon fils avec elle ? Une fille inconnue, qui fait le métier de coureuse !

SCÈNE 11
Léandre, Octave, Hyacinte, Zerbinette, Argante,
Géronte, Silvestre, Nérine.

LÉANDRE

Mon père, ne vous plaignez point que j'aime une inconnue sans naissance et sans bien. Ceux de qui je l'ai rachetée viennent de me découvrir qu'elle est de cette ville, et d'honnête famille ; que ce sont eux qui l'y ont dérobée à l'âge de quatre ans ; et voici un bracelet, qu'ils m'ont donné, qui pourra nous aider à trouver ses parents.

ARGANTE

Hélas ! à voir ce bracelet, c'est ma fille que je perdis à l'âge que vous dites.

GÉRONTE

Votre fille ?

ARGANTE

Oui, ce l'est, et j'y vois tous les traits qui m'en peuvent rendre assuré.

HYACINTE

Ô Ciel ! que d'aventures extraordinaires !

SCÈNE 12

Carle, Léandre, Octave, Géronte, Argante, Hyacinte, Zerbinette, Silvestre, Nérine.

CARLE

Ah ! Messieurs, il vient d'arriver un accident étrange.

GÉRONTE

Quoi ?

CARLE

Le pauvre Scapin...

GÉRONTE

C'est un coquin que je veux pendre.

CARLE

Hélas ! Monsieur, vous ne serez pas en peine de cela. En passant contre un bâtiment, il lui est tombé sur la tête un marteau de tailleur de pierre qui lui a brisé l'os et découvert toute la cervelle. Il se meurt, et il a prié qu'on l'apportât ici pour vous pouvoir parler avant que de mourir.

ARGANTE

Où est-il ?

CARLE

Le voilà.

SCÈNE 13
Scapin, Carle, Géronte, Argante, etc.

SCAPIN,
apporté par deux hommes, et la tête entourée
de linges, comme s'il avait été bien blessé.

Ahi, ahi. Messieurs, vous me voyez... Ahi, vous me voyez dans un étrange état. Ahi. Je n'ai pas voulu mourir sans venir demander pardon à toutes les personnes que je puis avoir offensées. Ahi ! Oui, Messieurs, avant que de rendre le dernier soupir, je vous conjure de tout mon cœur de vouloir me pardonner tout ce que je puis vous avoir fait, et principalement le seigneur Argante et le seigneur Géronte. Ahi !

ARGANTE

Pour moi, je te pardonne ; va, meurs en repos.

SCAPIN, *à Géronte.*

C'est vous, Monsieur, que j'ai le plus offensé, par les coups de bâton que...

GÉRONTE

Ne parle pas davantage, je te pardonne aussi.

SCAPIN

Ç'a été une témérité bien grande à moi, que les coups de bâton que je...

GÉRONTE

Laissons cela.

SCAPIN

J'ai, en mourant, une douleur inconcevable des coups de bâton que...

GÉRONTE

Mon Dieu ! tais-toi.

SCAPIN

Les malheureux coups de bâton que je vous...

GÉRONTE

Tais-toi, te dis-je, j'oublie tout.

SCAPIN

Hélas ! quelle bonté ! Mais est-ce de bon cœur, Monsieur, que vous me pardonnez ces coups de bâton que...

GÉRONTE

Eh ! oui. Ne parlons plus de rien ; je te pardonne tout, voilà qui est fait.

SCAPIN

Ah ! Monsieur, je me sens tout soulagé depuis cette parole.

GÉRONTE

Oui ; mais je te pardonne à la charge que tu mourras.

SCAPIN

Comment, Monsieur ?

GÉRONTE

Je me dédis de ma parole, si tu réchappes.

SCAPIN

Ahi, ahi ! Voilà mes faiblesses qui me reprennent.

ARGANTE

Seigneur Géronte, en faveur de notre joie, il faut lui pardonner sans condition.

GÉRONTE

Soit.

ARGANTE

Allons souper ensemble pour mieux goûter notre plaisir.

SCAPIN

Et moi, qu'on me porte au bout de la table, en attendant que je meure.

Pour en savoir plus...

(Pocket n°6169)

Prolongez vos lectures
des grands textes du
patrimoine littéraire
français avec les titres
de la collection
Pocket Classiques.
Présentés et annotés
par des spécialistes
universitaires, ils vous
permettront de :
- **Lire** le texte intégral et
la préface présentant
l'auteur et son œuvre ;
- **Comprendre,** avec
« Les clés de l'œuvre » ;
- **Approfondir**, avec les
lectures croisées et la
filmographie.

**Pocket Classiques, une nouvelle manière
de lire et de comprendre les classiques
en un seul volume.**

Cet ouvrage a été composé par
PCA - 44400 REZÉ

Impression réalisée sur Presse Offset par

BRODARD & TAUPIN

GROUPE CPI

25050 – La Flèche (Sarthe), le 30-07-2004
Dépôt légal : août 2004

POCKET – 12, avenue d'Italie - 75627 Paris cedex 13
Tél. : 01.44.16.05.00

Imprimé en France